話すチカラ

TBSアナウンサー（教え子）
安住紳一郎
Azumi Shinichiro

明治大学文学部教授（先生）
齋藤孝
Saito Takashi

ダイヤモンド社

話すチカラ

齋藤孝　明治大学文学部教授
×
安住紳一郎　ＴＢＳアナウンサー

目次

第2章 人間関係がうまくいく話し方

第3章 話すためのインプット

第4章

日本語の面白さにハマる

第5章 上機嫌で話すマインドセット

安住紳一郎

TBSアナウンサー

はじめに

私が明治大学で齋藤孝先生の授業を受けていたとき、先生はまだ文学部の教授でも准教授でもなく、教職課程の専任講師。正直なところ、見た目は「大学院生のアルバイト」のような感じでした。

当時の明治大学には2部（夜間部）が併設されていて、6限目以降は働きながら大学に通う2部の学生が学ぶ時間となっていました。

毎日夕刻になると、スーツを着た男性がわらわらと校舎に集まってきて、中には新宿でホステスをしながら勉強をしている女性もいました。

当時2部で開講されていた教職課程の授業を、1部の学生も受講できるという〝超法規的措置〟がありました。

そこで私は1部の学生でありながら、教師を目指す2部の大人たちに交じって授業を受けていました。その講師の1人が齋藤先生だったのです。

8限目の授業が終わると、夜の9時50分だったでしょうか。御茶ノ水のコンクリートの谷間で夜遅くまで授業を受けていた、あの頃の明大生たちを思い出します。

私の2歳上の姉は、地元・北海道で高校の教師をしています。学校の先生は比較的身近な職業であり、私自身も中学・高校の国語教諭になろうと思っていました。

縁あってアナウンサーという職業に就くことになりましたが、人前で話すことへの情熱や、日本語に対する探究心は、齋藤先生の授業を受けて教職を目指していた頃から変わっていません。

今回、齋藤先生から「話すチカラ」というテーマで出版のお話をいただいたとき、先生と出会ったきっかけである明治大学は外せないと考えました。

そこで私の発案で、明治大学の教職課程の学生を前に、お話しする機会をつくっていただきました。

私が現役の明大生を相手に話をするのは、自分の心にもう一度火をつけるための作業でもありました。

話し手も聞き手も、真剣に向き合っていると、お互いに心の炎を交換することができます。

まずは自分が燃え上がり、なるべくたくさんの炎を相手に与える。そして、相手からもたくさんの炎をもらいながら話す。

これは、コミュニケーションの基本であるだけでなく、よりよく生きていくための秘訣でもあると思います。

明大生たちを前に話すことで、心の炎を交換できたことに感謝します。

この本は、齋藤孝先生との対談と、明治大学の後輩たちに語った内容を書き起こしたものです。

後輩たちを前に話しているので、先輩ヅラが鼻につくかもしれません。そのニュアンスは割り引いて読んでいただければ幸いです。

そして、私の後輩の教職課程を学ぶ明大生になって読んでください。

芸能の世界には「演者は観客が育てる」という言葉があります。とにかく人前で話す実践こそが、話すチカラを養います。

本書の内容が、読者の皆さんの心に響けば幸いです。

皆さんがいい人生を送れますように。

第1章

わかりやすく話す

Saito Takashi

15秒以内で短く話す

Azumi Shinichiro

Azumi Shinichiro

人の集中力は、いったいどのくらい続くと思いますか？

実は、たった「15秒」程度で集中力は切れてしまうのです。ずいぶん短いですよね。

人が15秒しか集中できないのを踏まえて仕事をしている人たちがいます。それは、「CMプランナー」と呼ばれる人たちです。

CMの多くは15秒でつくられています。短く感じますが、人の生理に照らし合わせると十分な長さといえます。

集中力が切れた人に向かって「この商品、いいですよ」などといくら繰り返しても効果がありません。ですから、視聴者が集中できる時間内に「いいですよ」と簡潔に伝える工夫をしているわけです。

人の集中力は15秒も持たない。このルールから、15秒をすぎて同じ話を続けてはいけないことがわかります。

私が放送で30秒の時間を与えられたときには、15秒が2セットあると考えて話題を展開します。

たとえば、ＴＢＳ系列で毎年夏に生放送する『音楽の日』という番組を告知するとき。30秒にわたってダラダラと「○日の土曜日、ＴＢＳでは『音楽の日』をお送りします。7時間ほどの生放送です。ぜひご覧ください……」などと続けると、確実にダレてしまいます。

そこで、前半15秒で「このところ、関東地方では雨が続いていますが」といった天気の話をしてから、後半の15秒で『音楽の日』の告知をする、という具合に構成します。

45秒であれば、「序破急」の3分割。60秒であれば、「起承転結」の4分割。いずれも15秒単位で話を組み立てるのが理想です。

さて、そうやって話にメリハリをつけても、どうしても時間を持て余すことはあります。

その場合は、話の前か後に「無意味な余白」をつくるというテクニックもあります。たとえば、ものをゆっくりととり出すのに3秒を使い、残った秒数でとり出したものについて説明する、という具合です。

「言葉に頼りすぎない」というのも大事なポイントです。

私から見ると、みんな日本語に頼りすぎています。でも、人類の歴史を考えれば、私たちが言葉を獲得したのはつい最近のこと。言葉を使わずに生きていた時代のほうがはるかに長いのです。

あえて言葉を口にしなくても、人は3秒もあれば確実に伝えたいニュアンスを伝えられます。

たとえば、お風呂に浸かって感想をコメントするとしましょう。

「いやー、適温のいい湯加減だ。気持ちいいお湯ですね。本当に1日の疲れがとれますね」

日本語で伝えようとするとこんな感じですが、私たちは同じニュアンスを、日本語を使わず1秒で伝える術を持っているはずです。

そう、「ぅぁ～～」という、唸り声ですね。ほとんど意味をなさない言葉ですが、感情はよく伝わります。コトバに頼りすぎず、こういうあまり意味のない言葉や表情でニュアンスを伝えるのも1つの方法なのです。

Saito Takashi

私は、大学の授業で、1人に15秒でコメントしてもらう機会を頻繁に設けています。

4人1組で15秒ずつ話してもらうと、1グループ1分であっという間に発表が終わります。

私が見ていると、アナウンサーも俳優さんも、最後の3秒のまとめ方が上手です。

綺麗に着地を決める体操選手のように、パシッと決まった感があるのです。

以前、安住君と一緒に出演している情報番組『新・情報7daysニュースキャスター』（以下、ニュースキャスター）の生放送中、最後の3秒で〝死ぬポーズ〟をとったことがあります。

私はヨガの経験が長いのですが、ヨガの基本に全身を脱力させた「死体のポーズ」というものがあります。

仰向けに大の字になって寝て、死体になりきってリラックスすると、いろんなプレッシャーから逃れられるという精神的効用があります。

そんな経験談を話していたら、安住君が番組の終わりで突然、「じゃあ、みんなで一緒に死体のポーズをとって終わりましょう」と提案してきたのです。

その時点で放送の残り時間は数秒。ビートたけしさんをはじめとする出演者一同が、反射的に「やーっ」と死体のポーズをとりました。

さすがというべきか、たけしさんは堂に入った〝死に方〟をしており、ユニークなエンディングの演出となりました。

安住君を見ていると、彼は番組のラスト5秒で面白いことを1つポンと発言して締める能力に抜きん出ています。

横で見ていてほれぼれするくらいです。ああいう能力を持っている人は本当に稀有だと思います。

彼のように時間の使い方を自在に管理できるようになると面白いですね。

まとめ

1 話は15秒単位で
組み立てるのが基本

2 30秒であれば
「15秒×2」の2分割

3 45秒であれば
「序破急」の3分割

4 60秒であれば
「起承転結」の4分割

Saito Takashi

伝わりやすい話し方、声の質を意識する

Azumi Shinichiro

声の出し方については、高低の使い分けを少しだけ意識してみましょう。

基本的には、誰もが「高い声」と「低い声」を持っています。

私はテレビや人前で話すときには、あえてちょっと高めの声を使っています。高めの声のほうが人に話を聞いてもらいやすいからです。

実は、本当の地声はもっと低いのです。

テレビ業界には「日本には声の低い司会者は存在しない」という名言があります。

たしかにテレビ番組の司会で活躍している明石家さんまさん、中居正広さんなどは高い声の持ち主です。

ジャパネットたかたの髙田明前社長は、通販番組での甲高い声でおなじみでした。あの独特の高い声が、みんなの注目を集めたのです。

齋藤先生も、昔から声が高いという特徴がありました。齋藤先生の話が多くの人を引きつけるのは、あの声があるからです(笑)。

テレビで声が低くても仕事として成立しているのは、俳優さんや声優さん、ナレーターさんなど、ごく一部の人に限られます。

ところが、男性の新人アナウンサーの中には、自分の低い声に自信を持っている人もいます。まわりから「低くていい声ですね」などと褒められ、得意になって仕事でも低い声を使うと大変なことになります。

先輩アナウンサーから「君は人気俳優か。低い声でも許されるのは、小栗旬さんくらいだぞ」などと叱られ、急に声が上ずったりすることになります。

声が低くても通じるのは、みんながすでに集中して聞いてくれるという前提がある場合です。

自分がどういう声を使ったら、他人に受け入れられるかを知っておくことが大切です。

ただし、地声を高くしろとは言いません。自分のアイデンティティを崩すのは間違っています。

プライベートと人前での話し方の使い分けを意識するということです。

男性の場合、日本語は中性的な話し方のほうが話しやすく、聞き入れてもらえる傾向にあります。

たとえば、「オネエ系タレント」の人たちは、そろって饒舌です。

この傾向を理解したうえで、あえて中性的な話し方をとり入れている人もいます。

教育評論家の尾木直樹先生が有名です。かつては厳しい論調の正統派の先生だったのですが、今ではやわらかい口調で話す「尾木ママ」のキャラクターが定着しています。

おそらく、教育のシビアな問題も、〝ママ口調〟のほうが話しやすく、聞き入れてもらいやすいと体験的に気づかれたのではないでしょうか。

男性の保育士、セールスマン、デパートの店員さんなど、人当たりを重視する職種の人たちは、自然と中性的な話し方にシフトしていきがちです。そのほうが当たりがやわらかくなり、話しやすいからです。

あえて中性的な話し方を引き出しとして持っておくのも、1つの方法です。

齋藤先生

Saito Takashi

カラオケをしているとき、「この歌を歌うと、自分の声が一番響きやすいな」と感じることはないでしょうか。

これと同じように、話すことに慣れると、「自分にとって伝わりやすい声のトーン」が見つかります。

伝わりやすい声は、ただの大声とは違います。

ポイントは、頭蓋骨を震わせて骨全体を響かせること。

私は声楽の先生からハミングを教わった経験があります。その先生はピアニッシモ（きわめて弱く）でハミングしても、大きなホールの隅まで声が響いており、骨全体の響きを感じました。

「んーー」とハミングしながら、頭蓋骨が震える感覚を見つけてみてください。お風呂で試すと味わいやすいと思います。

このとき身体をゆるめて、リラックスすることが重要です。

私が歌舞伎役者の坂東玉三郎さんと対談したとき、玉三郎さんは「胸を開くことが大事ですよ」とおっしゃっていました。

胸を開いてリラックスすると、自然に声が伝わりやすくなるのです。

また、声に緩急をつけてメリハリで伝える方法もあります。

「声に緩急をつける」というと、多くの人が声を張ったり、抑えたりするイメージを持ちますが、話すスピードにメリハリをつけることが有効です。

日本人が英語を音読するとき、「強弱をつけて読みなさい」と言われると苦労します。「強く」と言われると、とにかく大声を出してしまうのです。

私はあるとき、英単語をゆっくり読むと強調する効果が生まれることに気づきました。

東京オリンピック・パラリンピック招致のプレゼンテーション（プレゼン）で、滝川クリステルさんが「お・も・て・な・し」と1音ずつ区切ってゆっくり発声していました。

あれこそが、ゆっくり読んで強調するイメージの典型なのです。

ゆっくり区切って読むと「この単語を強調して伝えたい」という意図が

伝わります。

私が講演などで論語の言葉を紹介するときも、「ち(知)・じん(仁)・ゆう(勇)」と、ゆっくり発声するように心がけています。ゆっくり読んで強調したあと、さらにそれを聴き手の皆さんに復唱してもらうと、完全に覚えてもらえます。

聴き手の人数が増えれば増えるほど、ちょっと声を高めにしたほうが伝えやすくなります。

ジャパネットたかたの髙田明前社長も、地声よりも高めの声で通販番組のプレゼンをしていました。

まとめ

1 頭蓋骨を震わせて
骨全体を響かせる

2 ちょっと高い声のほうが
話を聞いてもらいやすい

3 地声は変えずに人前での
話し方だけ変えてみる

4 あえて中性的な
話し方にしてみるのも効果的

Saito Takashi

余計な言葉を入れないことを強く意識する

Azumi Shinichiro

人は話の中で言葉を選び切れないとき、「えー」「あのー」などの場つなぎの言葉を入れがちです。

北朝鮮による拉致被害者、横田めぐみさんのお父さん・横田滋さんが記者会見をされたとき、ほとんど「えー」としか発言しなかったことがありました。それは、横田めぐみさんの消息が不明であるという状況を受けて行われた会見でした。

横田滋さんからは、ほとんど具体的な言葉はなかったものの、そこにいる記者たちの全員が納得していました。

「えー」としか口にできない心痛を理解できたからです。

このように、心情を雄弁に伝える「えー」「あのー」はあります。

ただし、それはあくまでも例外です。

一般的に「えー」「あのー」「まあ」などを連発していると、「イエス・ノーの結論が出せない」「思考がまとまっていない」と受けとられます。

要するに「相手になめられてしまう」のです。

「えー」「あのー」と言ってしまうクセを直すには、言わないように強く意識するしかありません。

これらは無意識に出るフレーズなので、本当は他人に指摘してもらうのが確実なのですが、現実的ではありません。地道な「セルフ矯正」が唯一の道なのです。

放送局のアナウンサーでも、「えー」「あのー」のフレーズをしっかり抜くには、3年はかかります。

「えー」「あのー」を入れないことを強く意識すると同時に、話したい内容を明確に持つクセをつけることも重要です。

私が元卓球選手の平野早矢香さんに生放送でインタビューをしたとき、驚くべき経験をしました。平野さんは特別なアナウンスの訓練を受けていないはずなのですが、会話の中に「えー」とか「まあ」という音を一切挟まなかったのです。

平野さんに「卓球の魅力は何ですか」などと質問すると、「卓球の魅力は相手のラバーの角度やボールのスピードによって、自分の対応が変わること。それを素早く自分の中で決断する楽しさです」といった答えが、よどみなく出てきます。

インタビューの間、私は驚きっぱなしでした。こちらが「あのー」を連発しました。

平野さんクラスのトップアスリートは、明確な目標を持ち、決められた時間の中で確実にトレーニングメニューをこなすというストイックな生活を送っています。

質問をされたときも、答える内容が自分の中でハッキリしているので、無意味な音を挟む必要がないのでしょう。

このように意識の持ち方によって、無意味なフレーズを少なくできるのです。私でも全部なくすのは無理ですが、数をコントロールするのが理想です。

一方、「えー」とか「まあ」のフレーズが一切なくなると、ＡＩ（人工知能）のように感じられることもあるので、人間味を出すようなときには口グセや「えー」「まあ」などは有効です。

齋藤先生

Saito Takashi

テレビのスポーツ中継を見ていると、実況するアナウンサーの質問に対して「でも」から話し始める解説者がいます。「でも」と言っているのですが、それに続く内容が逆説ではありません。

こういった「でも」は、単なる口グセです。口グセがすべて悪いわけではありませんが、ムダなクセをとり除くと、話にテキパキした印象が生まれます。

多くの人がやりがちなクセが、「えー」「えーっと」です。

「えー」には、〝声を出す練習〟〝聴き手の準備を促す〟といったポジティブなニュアンスもありますが、「えーっと」からは〝話したい内容がまとまっていない〟というニュアンスが伝わり、子どもっぽい印象を与えてしまいます。

「えーっと」「えーっとですね」を連発すると、少々耳障りです。

私が学生に「15秒でプレゼンしてください」と課題を出すと、短時間で話をまとめなければならないのに「えーっと」を連発して、それだけで持ち時間を使ってしまう人がいます。

まずは、自分が話すときのクセに気がつくことが肝心です。

短い時間で区切って話してみると、自分がどれだけ余計な言葉を入れてしまっているかがわかります。

できれば、自分の話をICレコーダーやスマホに録音してチェックするのが理想ですが、そうはいっても、自分の声を聴くことにはストレスがあると思います。まずは話している最中に「あ、今『えーっと』って言っちゃったな」「また『あのー』が出てしまった」などと意識するところから始めてみましょう。

口グセに注意しながら15秒、30秒プレゼンを繰り返していると、次第にムダな言葉を省きつつ、長い時間話せるようになってきます。

「これだけは伝えたい」という情報を強く意識して、優先順位の高い情報から話すことも意識しましょう。

いつ話を遮られても困らないように、大事な情報から先に伝えようとすると、余計な言葉が少なくなっていくはずです。

私は、これまで大学生を何千人も指導してきましたが、プレゼンは5回目くらいから誰もが格段にレベルアップします。

まとめ

1 「えーっと」「あのー」「まあ」といったノイズをなくすことを意識する

2 ノイズをなくすには話したいことを強く意識することも大切

3 自分が話すときのクセに気づくところから始める

4 心情を雄弁に伝える「えー」「あのー」もある

Saito Takashi

「たとえ」は
できるだけ
具体的にする

Azumi Shinichiro

安住アナ

Azumi Shinichiro

話をするとき、「たとえ」は非常に大事です。

何かにたとえると、相手の理解が格段にスムーズになります。その証拠に、あの『聖書』も全編を通じてたとえ話で埋め尽くされています。

たとえるときは、できるだけ具体的にすべきです。

「ビールを飲んだときのような爽快感」よりも「スーパードライを飲んだときの、あの気持ち」のほうがイメージが明確になります。

ビジュアルでたとえるのも1つの方法です。

「本が部屋中にたくさんある」よりも「ジャパネットたかたで電子辞書を売っているときみたいですね」のほうが、聞き手の視覚的なイメージがわきやすくなります。

陳腐なたとえしか思いつかないときは、あえて逆にイメージしにくいほうへ、ひと捻りしてみます。

私は、高級なシュークリームを紹介するとき「東京から習志野までの電車賃くらいのシュークリームです」などと言うことがあります。あえて少しわかりづらい表現をして、人の気を引こうとするのです。もう必死です（笑）。

さらにもう少しイメージしてもらいたいなら、思い切ってモノマネをする手もあります。

かつて私はテレビのロケで、たまたま目に入った帽子が、どことなくスポーツの審判員が着用する帽子に似ていると感じ、とっさに競艇の審判員のモノマネをしたことがあります。

そのモノマネが似ているかどうかは、二の次です。むしろ、あまり似すぎると嫌みっぽくなります。

むしろ大切なのは、思い切りのよさ。モノマネに躊躇している雰囲気が伝わると、空気がシラけるからです。

たとえば「電車の車掌さんみたいですね」と言ったあと、間を置かずに車掌さんの口調を真似て「次は……四ツ谷、四ツ谷です」と言ってみる。このチャレンジ精神こそが大切です。特に明大生は(笑)。

真似できそうな人やシチュエーションを見つけたら、こっそり練習しておきましょう。そのちょっとした練習が、いつかどこかで大ホームランにつながります。

具体例は、人に話を聞くときも重要です。

相手が少し抽象的な話をしたときに、「たとえばこういうことでしょうか」「○○と同じようなことでしょうか」と例を出しながら話を聞いてみましょう。

例がずれている場合は、相手が「というよりも、こういうことですよ」と訂正してくれます。

例が合っている場合は、「この人は私の話をしっかり理解しているな」と思ってもらえます。

どっちに転んでも積極的に話を聞いている姿勢が伝わります。

いろいろな選択肢の中から最適な具体例を提示することは、自分の記憶という池の中から、釣り針で特定の魚だけを釣るようなもの。

テレビ番組など時間が限られている中で、条件反射的に絶妙な具体例を繰り出せるのは、安住君レベルの話し手だけ。普通の人にとっては至難の業です。

そこで、普段から具体例を出す訓練をしておきましょう。

私は、学生たちに具体例を出し続けるグループワークをしてもらうことがあります。

たとえば「絶望」というお題で、1人ずつ絶望した経験を出してもらいます。これを何周も繰り返すと、だんだん例が尽きてきますが、そこからが勝負どころです。

出し尽くしたところから無理やり例を絞り出そうとすると、なんとか絞り出せます。そうやって脳に負荷をかけると絶妙な例が出てきたりするのです。

これに関連して、安住君が言うように、視覚的なイメージでたとえる訓練もしておくといいです。

何かを見たときに、似た映像を記憶の中から探し出して、パッと口にする。これを普段から繰り返しておくと、いざというときに絶妙なたとえを繰り出せるようになります。

また、普段から、自分が経験したエピソードをメモに書いておく方法も有効です。

芸人さんがテレビのトーク番組に出演するときは、事前にアンケート形式でエピソードを提出するケースが一般的です。

ここで面白いエピソードを出せるかどうかで、本番でトークのチャンスを振ってもらえるかどうかが決まります。だから、みんな必死になって日々小ネタを集めているのです。

エピソードのストックは、社会人や学生が面接などで自己アピールをするときにも必ず役立ちます。

まとめ

1. たとえは具体的なほうが効果的
2. 単に「ビール」より「スーパードライ」と具体化してみる
3. ある区間の電車賃にたとえるなど相手にちょっと考えさせる手も
4. 思い切ってモノマネをしてたとえを笑いに変えてみる
5. 普段から具体例を出す訓練をしておこう

Saito Takashi

語尾に曖昧な言葉を使わない

Azumi Shinichiro

安住アナ

Azumi Shinichiro

語尾の使い方で話の印象は大きく変わります。

たとえば、「○○ですね」のように語尾に「ね」をつけると、途端に話しやすくなります。特に、相手の同意がほしいときには、どうしても「ね」をつけたくなります。

結果として、「ね」をつけるのがクセになり、多用しがちです。

たしかに「ね」は、便利な語尾です。やわらかくて親しみやすく聞こえる効果もあります。

ただし、**語尾に「ね」をつけすぎると、ちょっと押しつけがましい印象も出てきます。**

ですから、自分が「ね」を多用していると気づいたなら、意識して削るべきです。

私も放送で「ね」を使いすぎている日があります。すると、その次の日には、台本の一番上に『ね』禁止！」と書いて注意します。

「〜と思います」のように、話を曖昧にする語尾も要注意です。

リポーターが「それでは、御茶ノ水に新しく豚丼のお店ができたということなので、これから私がリポートしてみたいと思います」と言っています。

一見すると問題のない言い方ですが、厳しくみると、まわりくどいのです。

この「思います」は、あくまでもリポーターの心の動きです。

「あなたの心の動きはどうでもいいから、さっさとリポートしたら」と言いたい気持ちになるのです。

この場合は、思い切って曖昧な語尾を削り、「新しい豚丼のお店ができたようなのでリポートします」「新しいお店ができましたので、行ってみましょう」のほうがスッキリします。

前者のほうが使いやすい表現なのですが、後者のように使いづらいけれどニュアンスがより伝わるほうにも、たまにトライしてみてください。

もう一例、お話しします。

東京都港区の泉岳寺駅から神奈川県横須賀市の浦賀駅まで、京浜急行電鉄の「京急本線」が走っています。

赤い車両が特徴的で「赤い弾丸」と呼ばれ、首都圏で人気の鉄道路線の1つでもあります。

この京急という鉄道会社は、独自の哲学のもと事業運営をしています。

たとえば、京急の車掌さんは、電車がホームに着き、ドアが開き、乗客が乗り込んだタイミングで、次のようにアナウンスします。

「**ドアを閉めます**」

ほかの鉄道会社の車掌さんは、「**ドアが閉まります**」とアナウンスするのが一般的です。「ドアが閉まります」には、「ドアが閉まるので、そのドアに挟まれないようにしてくださいね」というニュアンスが感じられます。

これに対して、京急は「閉めます」と言い切っています。

京急の「ドアを閉めます」には「私の責任でドアを閉めますから、皆さん気をつけてください」という意志の強さを感じます。

結果として、お客さんの間で「車掌さんの迷惑になるから駆け込み乗車はやめよう」というコンセンサスがとれやすいかもしれません。

語尾が曖昧になると、責任の所在も曖昧になります。

断定して責任をとるのが恐いという感情から、表現が曖昧に遠まわしになるのです。時代なのかもしれません。

「こちら、２０００円になります」

接客業などで、よく聞く言葉づかいであり、マナー本などでは「悪い例」として紹介されることがあります。

「２０００円」には間違いがないので、「なります」は蛇足。なのですが、なんとなく金銭について直接的に言うのははばかられるので、「なります」という言葉でやわらかくしています。

こういう場合の曖昧さは、賛否が分かれます。

「させていただきます」となると、さらにまどろっこしさが増します。

「このたび新しい映画を公開させていただくことになり、その映画で主演を務めさせていただきました私、俳優をさせていただいている○○と申します。お集まりいただいた皆さんに一言ご挨拶させていただきます。それでは失礼させていただきます」

このように「させていただきます」の連発は最近のトレンドともいえます。「なるべく周囲と波風を立てたくない」「出しゃばりすぎて目をつけられたくない」という潜在意識が働いているのでしょう。

でも、**「させていただきます」を多用すると覚悟がないように思われます。「させていただきます」は、使って1回か2回です。**

たくさんの人の前に出て「謙遜」のフレーズばかりだと、スピーチはだいたいダレるという話をさせていただきました(笑)。

齋藤先生

Saito Takashi

曖昧な言葉で語尾を濁すというのは、1つの話術でもあります。

たとえば、日本人は「お茶が入りました」という表現を使います。

お茶が勝手に入るわけはないのですが、「お茶をいれました」というと、「私があなたのためにお茶をいれました」というニュアンスが伝わり、ちょっと恩着せがましくなります。

つまり、「お茶が入りました」「お風呂がわきました」と行為の主体を省いた表現は、相手に対する配慮を示しているわけです。

同様に、関西では話の終わりに「知らんけど」、とつける文化があります。「知らんけど」には、深刻な空気をやわらげたり、偉そうな雰囲気を抑えたりする効果があります。

話は常に断言すればいいというものでもありません。

内容のぼやかし方にはいくつかのグレードがあります。それを上手に使い分けるのも芸のうちです。

たとえば、「明大生は体力勝負」というと語弊があります。時と場合によっては炎上します。

でも、「明大生は体力勝負、と言う人もいます」とすれば、セーフです。

「〜と言われています」と「〜とも言われています」では、たった1文字の違いですがニュアンスが異なります。

「も」を入れただけですが、後者のほうが曖昧度が高く、内容をぼやかしたいときには有効です。

あるいは、何かを断言したあとに「諸説ありますけどね」「これは個人の感想です」などと言う方法もあります。

大事なのは、自分の話がどの程度曖昧なのかを、自分自身が意識していることです。

曖昧度が80％なのか、60％なのかを自覚できれば、必要に応じて使いこなせます。

ただし、曖昧な言葉を多用しすぎると頭脳が明晰でない印象を与えます。

特に「～みたいな」という言葉は、自分が話していることに確証が持てない印象を与えてしまいます。

自分が普段、語尾にどのような言葉を使っているのかをチェックしてみましょう。

「～みたいな」を使いがちな人は多いですが、もう少し明確な語尾を意識してください。

また、「～と思います。……と思います」のように、同じ語尾を繰り返している人は、語尾にバリエーションをつけてみましょう。

夏目漱石、川端康成、太宰治などの文豪の小説を読むと、会話に多用な語尾が使われているので非常に参考になります。

まとめ

1 語尾に「ね」「～と思います」「～させていただきます」を多用しないように気をつける

2 曖昧な表現は意志が弱く、頼りない印象を与えてしまう

3 曖昧な語尾と明確な語尾の使い分けを意識する

4 「～みたいな」「～と思います」と同じ語尾を繰り返す人は語尾に変化をつけてみる

Saito Takashi

短時間で伝える内容を柔軟に変える

Azumi Shinichiro

安住アナ

Azumi Shinichiro

生放送の仕事をしていて痛感するのは、視聴者の興味が移るスピードが本当にすさまじいということです。

ついさっきまでホットな話題だったはずなのに、3分くらいで急に鮮度が落ちてしまうことなど日常茶飯事です。

私が司会をしている『ニュースキャスター』のような生放送の情報番組でも、用意していたVTRをそのまま流すと、視聴者の興味から完全に外れてしまうケースが多々あります。

それに気づいたときは、勇気を持って用意した素材をすべて捨て、ガラッと構成を変えます。生放送は、こうした決断と失敗の連続です。

アメリカンフットボールに「オーディブル」という用語があります（プレイを開始する直前に、戦術を変更することを意味します）。

私がやっているのは、この「オーディブル」と似ています。

面白いのは、制作者の中でも、よく意見が割れることです。スタッフとはケンカしながら生放送をしています（笑）。

私が正しいときもあれば、間違っているときもあります。間違えたときは、陰でボロクソに言われます(笑)。

私は番組を進行しながら、視聴者の反応をつぶさに想像しています。

「今ちょっと関東の情報を話しすぎてしまった。九州の人が飽きて何人かテレビを消してしまったな」

極端な話、そんなことを頭の中で考えているのです。

そんな感覚を頼りに「エンディングでは、九州の天気をメインにやってみましょう。九州の天気図を準備してください」などと番組スタッフにお願いするのです。

このように自分たちが特別に扱われたという感覚を得てもらうことは、常連になってもらうきっかけになります。

そして常連さんは裏切らない。自分が居酒屋の常連になった感覚と一緒です。

一方で、番組スタッフたちは事前に多大な労力をかけてＶＴＲをつくっています。「自分が用意したものを視聴者に見てもらいたい」という本能が働くので、生放送での急な変更には消極的です。

出し抜けに「九州の天気を伝えましょう」と言われても納得がいきません。当然、私と番組スタッフはぶつかります。このぶつかりは避けて通れないものです。

これを「スタッフに気に入られるか、視聴者に気に入られるか問題」と私は呼んでいます(笑)。深いテーマです。

テニスの大坂なおみ選手が全豪オープンで初優勝したときの生放送で、齋藤孝先生にテニスのサーブを打っていただいたことがあります。

あのときも番組中に変更しました。

その結果、なんと大坂なおみさんよりも齋藤先生のプレイのほうが高視聴率だったのです。

番組スタッフには毎回、負担をかけていますが、ちょっとした空気の変化を読んで臨機応変に対応するのは、生放送の醍醐味でもあります。

一瞬の判断が、1週間練りに練って考えた企画をはるかに凌駕してしまう。そこに情報を生で伝える面白さがあります。

最近はテレビ番組が予定調和になりがちという指摘もありますから、ときどき視聴者の予想を裏切ることも必要です。たとえるなら、定休日不明のお店のようなもの。

「おっ！　今日やってるんだ、ラッキー！」

「えー、せっかく来たのに今日休みなのか……」

そういう一喜一憂で人の心をつかみ、「あの店、油断ならないな」と思わせるのも話すうえでのテクニックといえます。

齋藤先生

Saito Takashi

安住君は生放送中、番組スタッフに細かな指示を出し続けています。

「ここのコーナー、この部分を短くして、ここを拡大したほうがいい」「今のVTRはあとでもう1回流しましょう」などと臨機応変に対応するさまは、非常にクリエイティブです。

生放送をしていると、放映する予定だったVTRができていないとか、突如何かの事件が起こって段どりが狂うといった不測の事態が起こります。

私が見ていると、どうやら彼はそういった不測の事態をワクワクしながら楽しんでいるようです。

段どり通りにいかない事態を面白いと感じられる感性が、ライブ感を生み出します。

きっと、安住君のワクワク感がお茶の間にも伝わっているからこそ、彼はあれほどまで人気が高いのだと思います。

そんなワクワク感を感じた出来事として、私がテニスのサーブを打った日のこともよく覚えています。

事前に「テニスウェアを持ってきてほしい」と言われ、「どうせならラケットも持っていこう」と持っていったら、安住君から「ぜひボールを打ってください」と提案されました。


元プロテニスプレイヤーの杉山愛さんのようなコメンテーターがサーブを打つならともかく、どうして大学の教員である私が、全国放送のオープニングでサーブを打ったのかいまだによくわかりません(笑)。

でも、「今日はテニスに興味のある人もない人も、テニスに対して気持ちが熱くなっているので、絶対にラケットを振りたいと思っているはず」と言われて、「なるほど！」と納得したことを覚えています。

まとめ

1 伝える相手の反応を
常に想像する

2 事前に決めた伝える内容を
変える勇気も必要

3 一瞬の判断が練りに練った
内容を凌駕することもある

4 一喜一憂で
人の心をつかむ

「抽象・具体」「ワイド・ナロー」を意識しよう

例

「布袋寅泰さんの人差し指の爪先に痺《しび》れます」

安住アナ

話をするときに、視点の切り替えを意識すると、人の心に響く表現ができるようになります。

たとえば、「飛行機で羽田から鹿児島に飛んだ」ではなく「羽田空港の13番搭乗口から飛行機で～」と言えば、イメージがより具体的になります。

「会社で毎日仕事をして」と言うよりも「デスクでウィンドウズ10を今日も使いながら～」のほうがリアリティがあります。

「好きなことは何ですか？」と質問されたとしたら「ロックコンサートに行くことです」のように答えるのもいいですが、さらに焦点を絞って「布袋寅泰さんのギターの指先、特に人差し指の爪先に痺れます」みたいに言うと、こぼれるほどの熱さが出ます。

デジカメで絞りの穴の大きさを広くしたり狭めたりするみたいに、「ワイド（広い）・ナロー（狭い）」「抽象・具体」といった使い分けが大切なのです。

齋藤先生

集団の中で個をとり上げると、みんなの一体感が生まれます。安住君がテレビの仕事で高校の合唱部を訪ねたとき、1人の高校生をとり上げ、上履きがボロボロになっているのを指摘して笑いをとっていました。

かつての総理大臣・田中角栄も、演説中に「おばあちゃん、そうでしょう」と、いきなり目の前のおばあちゃんに話しかけて、そのほかの聴衆の心をギュッとつかんでいました。

プラスα

恋愛関係でも、「私のどこが好き?」と聞かれたときに「左耳のホクロ」とピンポイントで言える人のほうがモテると思います（違う場合もあります）。

少し大げさな話し方を心がけよう

例

「オレって天才だよね」と思い込む！

安住アナ

聞き手の人数に応じて話し方は変わります。相手が1人か2人かでも違います。学校の先生のように30~40人に対して話すときと、数百人を相手に話すときでは、当然ながら話し方を使い分ける必要があります。

私の実感では、100人を超えると、ほぼ同じ話し方でいいような気がします。

この場合、みんなの集中力が途切れるタイミングが早いので、少し大げさに、芝居がかったような話し方を意識します。あえて言うと〝変人風〟が理想です。

30~40人の教室では、芝居がかった話し方は途端に嘘くさく感じられますから、普段通りの真面目な感じや、無理しない感じのほうが話が伝わりやすくなります。

30～40人を相手に大げさに話すと〝ヤバい人〟になるので注意してください。ただし、齋藤先生のように、40人を相手にしているときもハイテンションな人がいます。でもこれは、「普段は100人以上の前で話している〝スター・ティーチャー〟」を今日は最前列で見ているんだ！」という興奮が聴衆側にあるから平気なのです。初対面の人が、いきなりのハイテンションだとドン引きします（笑）。

齋藤先生

私も500人くらいの聴衆の前で講演会をすることがよくありますが、たしかに、気づかないうちに〝変人キャラ〟になっています。

控え室で打ち合わせをしているときは普通なのに、500人を前にすると急に変人モードに入り、〝オレって天才！ キャラ〟に豹変してしまうのです。あれは、大勢の人の心を動かすために、無意識にやっていたテクニックだったのですね。

プラスα

日本武道館や東京ドームなど、1万人以上を相手にする場合、コクのある話をしようとしてもほとんど伝わりません。こういった場合は、欲張らずに案内やお知らせだけに徹するのが基本です。

情報で納得させよう

例

「あそこの店、昼間は混んでいるみたいよ」

安住アナ

若い人は結論やオチがない話を過剰に恐れる傾向があります。「オチないのかよ！」と仲間に言われると、その日は話しづらくなります。

でも、プロの芸人さんではないので、笑いでオチをつけるとなると、素人には荷が重すぎます。

また、結論が必要かどうかも、時と場合によります。

雑談をするとき、女性は基本的に論理的なやりとりを求めることは少ないです。

女性同士が会話で盛り上がっているのを聞いていると、延々と同意し合っていることに気づきます。

「あー、それカワイイ」

「ホントだ、カワイイ」

「ぜったい、カワイイって」

特に結論はないのですが、お互いに受容し合いながらコミュニケーションをとっています。だから、女性の聴取者（リスナー）が多いときは、ことさら結論を早く出そうとしないほうが良策です。

一方、男性は結論を聞いて初めて納得する人が多いので、早めに結論に触れたほうがいいかもしれません。

「それ、カワイイ。100人中98人が、そう言ってる」とか（笑）。

どうしても結論が出ないときは、「情報で落とす」という方法があります。

たとえば、「御茶ノ水に新しい定食屋さんができたらしいよ」という話を始めてからオチがつかないと思ったら、「あの店は、昼・夜通して営業している」「割引チケットがスマホでダウンロードできる」といった情報を伝えると、話がなんとなく着地します。

これも私がよく使う方法です。

「東京公演は〇月△日から。当日券もあるそうです」と締めます。

齋藤先生

学問の世界では、結論を出すことに必ずしも大きな意味はありません。むしろ、「問い」を提示することが重要です。

ですから、**話がまとまらないときは、最後に「問題意識を確認する」ことが大切です。**「今日の議論のポイントは○○でした。このポイントについて、今後とも考えていきたいと思います」などと、問いを提示するようにして締めるのです。

あるいは、重要なキーワードを使って「今日お伝えしたかったのは、○○ということです」と強調点を明確にする方法もあります。残り15秒で重要なことをバシッと言うと、上手に話が着地した感じが生まれます。

人間関係がうまくいく話し方

第2章

Saito Takashi

相手を
気持ちよく
させる

Azumi Shinichiro

Azumi Shinichiro

若い人ほど、「お世辞」に対する強い嫌悪感があります。

お世辞を口にする人は、他人に媚《こ》びているようで、格好悪く見えるのでしょう。

しかし、「世辞」には「他人に対する愛想のよい言葉」というポジティブな意味もあります。媚びるための言葉に限らないのです。

人とよりよいコミュニケーションをとるうえで、相手を気持ちよくさせる「サービス精神」は必要です。

相手を気持ちよくさせたいからといって、心にもない嘘をつくわけではありません。

重要なのは、自分の感情をきちんと言葉にして相手に伝えることです。そもそも、自分の感情は意外なくらい相手に伝わっていません。きちんと言葉にして伝えるだけで相手の反応は違ってきます。

私は人と食事をしたときに「今日はとても楽しかったです」と言うようにし

ています。

相手は「社交辞令で言っているだけかも」とは思いつつも、やはりうれしい気持ちになるでしょう。

少なくとも私は、イヤな気持ちにはなりません。

相手がうれしい気持ちになれば、人間関係も良好になります。お世辞は遠慮せず、積極的に口にすべきなのです。

レストランなどに行って、おいしい料理を食べたとき、「あー、おいしかった。この値段でこんなにおいしい料理を食べられるなんてラッキー」と感動することがあるでしょう。

そんなふうに感動したとき、それを口にする相手は、一緒に食事をしている友人だったり、恋人だったりします。

あるいはＳＮＳで感動を伝えるケースもあるかもしれません。

でも、実はもっと別に、真っ先に感謝を伝えるべき人がいます。一生懸命おいしい料理を提供してくれたお店の人です。

お店の人に「この○○おいしいです。ありがとうございます！」と気持ちを伝える。それだけでも人生が大きく変わってきます。

試しに、お寿司屋さんに行って、大将の動きをよく観察してみてください。市場で仕入れてきたマグロの柵《さく》などは、カウンターのガラスケースに入れています。

そのマグロを切り、寿司を握り、カウンターに座っているお客さんたちに提供していきます。

その味は、柵を切り出す場所によって変わってきます。そして料理人からすると、柵のどこが一番おいしいかは一目瞭然です。

一番おいしいところをどのお客さんに出すかは、料理人のさじ加減ひとつ。当然、料理人も人ですから、いつも来てくれる常連さんでもない限り、きちんとコミュニケーションがとれる人においしいものを出したくなるのが人情でしょう。

まずお店に入ったとき「今日はここでお寿司を食べるのを楽しみにしていま

した」と言って、最初にお寿司を口にしたとき「これ、おいしいですね～」と伝えたら、そんなお客さんに一番のマグロがまわってくるのは必然です。

さらに、そのお寿司屋さんに誘ってくれた人がいたなら、「今日は楽しかったです。またお願いします」と、きちんと言葉にしてお礼を伝えましょう。そうすれば、またお寿司屋さんに連れて行ってもらえるかもしれませんし、おいしいマグロにありつけるかもしれません。

これがお世辞の効用です。

打算的だと思わないでください。お世辞を使えば使うほどコミュニケーションが円滑になり、人生にベネフィットがもたらされるのです。

Saito Takashi

相手のアイデンティティに関わることを褒めると、必然的に相手を気持ちよくさせられます。

人を直接褒めるのは難しくても、その人のアイデンティティなら褒めやすいというメリットがあります。

「アイデンティティ」とは、アメリカの精神分析学者、エリク・H・エリクソンという人が広めた概念で、日本語で「存在証明」と訳されます。

簡単に言うと、その人の存在を証明する〝証明書〟のようなものです。証明する材料は1つではなく、出身地や両親、過去の体験など、いろいろな要素が束になって、人のアイデンティティを形づくります。

人は、みんな自分のアイデンティティに関わるものを愛しています。

たとえば、出身地に根づいた郷土料理を「ソウルフード」として愛しています。ですから、ある土地の郷土料理を食べて「おいしいですね」と褒めれば、地元の人が喜ぶのは当然です。

より正確には、「褒める」というより「共感する」スタンスのほうが相手に伝わりやすいと思います。

相手を褒めよう褒めようと意識しすぎると、他人行儀な感じになってきて、かえって心理的な距離ができてしまうことがあります。

「これは素晴らしい料理ですね」「大変な歌唱力ですね」などと褒めるより、自分がどのような影響を受けたかにスポットを当てて、「この料理、ホントにおいしかったです」「この歌を聴くだけで、リラックスできます」と共感したほうが相手により伝わります。

また、「相手を気持ちよくさせる話し方」という意味では、相手が反応したポイントをとらえて、増幅させていくのもよいでしょう。そのためには、相手のちょっとした反応に気づけるかどうかが重要です。

たとえば、何か自分の話に少しでも笑ってくれたことに気づいたら、「ここは大事なポイントだったので、笑っていただけてうれしかったです」「実は、このギャグはきのう寝ずに考えたんです」などと返します。

さざ波を大きな渦へと成長させていくイメージで、お互いのリアクションを増幅させていくのです。

逆に、自分が聞き手の立場であれば、相手の発言に瞬時に反応して笑ったり、驚いたりツッコミを入れたりします。すると、「一緒にいて楽しい！」という雰囲気が生まれ、話し手は格段に話しやすくなります。

こうした、いい空気づくりにも積極的にチャレンジしてみてください。

まとめ

1 お世辞は媚びるためのものではない

2 自分の気持ちを言葉にしてきちんと伝える

3 お世辞は積極的に口にする

4 お互いのリアクションを増幅させる

Saito Takashi

オウム返しをすれば相手はどんどん話してくれる

Azumi Shinichiro

「相づち」「合いの手」は、相手に気持ちよく話してもらうための重要な手段です。私も会話をするときは、相づちを重視しています。

ただ、番組収録の場合は少し特殊です。編集するときに相づちの声が入ると邪魔になるので、黙ったまま相づちを打つことが要求されます。

だから、アナウンサーがインタビューしている姿を見ると、なるべく声を出さずにパントマイム的に頷《うなず》いたり、自分の顔を上下に動かして相手の話を促したりしています。

相手に「その話をもう少し広げてほしい」ときは、オウム返しで相手にもう一度聞く方法があります。

お昼の看板番組として2014年まで30年以上続いたフジテレビ系列の『森田一義アワー　笑っていいとも！』で、司会のタモリさんが毎日ゲストを迎えてトークをする「テレフォンショッキング」というコーナーがありました。

そこでタモリさんがよく使っていたのが、オウム返しです。というより、「基本的にオウム返しだけをしていた」と言ったほうが正しいかもしれません(笑)。

たとえば、毎回こんなふうに会話が進行していきます。
「この間、香港に行ってきまして」（ゲスト）
「お、香港行ったの？」（タモリさん）
「そこで、おみやげ買ってきたんです」（ゲスト）
「おみやげ？」（タモリさん）
「香港はおいしいものがたくさんありますからねー」（ゲスト）
タモリさんは、相手が発した単語をオウム返しにして、「なんで？」「どうして？」などと問いかけます。そうやって会話がテンポよく続いていきます。
このようにオウム返しは、最強のテクニックなのです。

ほかには、「えー！」と驚いたり、「へぇー」と共感したりするのもよいでしょう。このとき、**驚いたり共感したりしている具体的なポイントを伝えると、一気に相手の心をつかむことができます。**
たとえば、友人と会うとき、その友人が真新しいＴシャツを着て登場し、「このＴシャツ買ったんだ」と言ったとしましょう。

「似合ってるよ」と言うだけでは、ちょっともの足りない。なんだか無味乾燥で、むしろ相手を失望させる恐れもあります。

もし、そのTシャツの価値がわかっていれば、次のような返しができます。

「えっ！　そのTシャツって限定品でプレミアがついているヤツだよね？　すごいな、どうやって手に入れたの？」

人はコミュニケーションを通じて、常に相手の感性が自分と近いかどうかを測っています。

ここでTシャツの価値を的確に指摘できれば、「わかっている人」と思われて、一気に関係が深まります。

いい相づちを打つためには、情報収集の努力が不可欠です。

上司や先輩から食事に誘われたとき、「ここ、なんていうお店ですか？　いいですね」と言える人は、さらに上を狙いましょう。

「ここって3か月前から予約しなきゃいけないレストランですよね。誰か紹介者がいないと入れないって聞いたんですけど、僕なんかが入っていいいんですか!?」

これくらい言えば、誘ってくれた人も「誘いがいのあるヤツだ」と思ってくれるでしょう。予約した苦労のわからない人は、誘いたくありません。

年配の人と話すときには、自分が生まれる前の世代のことを知っておかないと、話が成立しない場合もあります。やはり事前の情報収集は必須です。

ただし、知っているのをひけらかしたりすると、相手が興ざめしてしまいます。

上司に連れられてお店に到着したとき「ここってすごくいいレストランですよね。僕もこの間、来たんですよ」と言ったら、上司はどんな気持ちになるでしょうか。そう、興ざめしてしまいます。

ときには、事前の情報を隠して新鮮なリアクションをする必要もあります。

このあたりのさじ加減は、経験しながら身につけていくしかありません。

社会人って大変だよね（笑）。

学生は会話の中で相づちを打つことは少ないのですが、社会経験を積むと、相づちが洗練されてきます。**上手な相づちを打つ人を見ると「仕事ができる人だな」という感じがします。**

部下に自分の話をしたい上司などは、安住君が言うように、こちらがオウム返しをするだけで話がとまらなくなります。

一方で、会話が途切れてしまったときは、「たとえば〜ですか？」などと促してみるのも有効です。

「たとえば」と例を提示すると、会話の呼び水になることがあります。

私が美輪明宏さんとお話ししていたとき、美輪さんが「唱歌とか童謡というのは、日本語として美しいものが多いですね」とおっしゃったことがあります。「そうですね」と同意するだけでは話が盛り上がらないので、私は例を出してみました。

「たとえば、野口雨情などは、歌詞が詩的ですよね」

野口雨情は、童謡『赤い靴』などの作詞で知られる詩人です。

美輪さんは私の相づちを受けて、実際に野口雨情が作詞した童謡を歌い始めてくださったのです。

「昔の白黒映画にはいい作品が多いよね」と言われたら、「フランス映画の『大いなる幻影』とか、名優のジャン・ギャバンが出てくる映画はいいですよね」と返せば、相手にスイッチが入って映画の話をたくさんし始めたりします。

相づちで相手の話を引き出したいなら、基礎的な教養を身につけておく必要はあります。

まとめ

1 相手が言ったことをオウム返しにするだけでも会話が弾む

2 驚いたり共感したりしているポイントを具体的に伝える

3 人と会うときは事前の情報収集を欠かさない

4 相手が言ったことに具体例を示せば会話の呼び水になる

Saito Takashi

「内容」か「段どり」で相手をのせる

Azumi Shinichiro

安住アナ

Azumi Shinichiro

放送の世界では「内容でのせるか、段どりでのせるか」という言い方があります。たとえば、お店でセールをしていたら、お客さんは「わー安い！　これもほしい、あれも買いたい！」とテンションが上がりますね。これが「内容でのせる」の一例です。

一方、セールではなく「これはどうですか？　こちらどうですか？　青がお好きでなければ、赤はいかがですか？　珍しい赤がありますよ」という店員の〝名人芸的段どり〟で購買意欲を引き出す売り方もあります。この「内容」と「段どり」を上手に使い分けながら、番組を盛り上げていくわけです。

実は、人とコミュニケーションをとるうえで、相手のテンションを高めて言葉を引き出すときにも、この手法は通用します。

自分が実のある話を持っていないと自覚したときは、相手の座るイスをベストに調整し、部屋の温度を完璧にして、コーヒーを出すタイミングを打ち合わせし、ゲストが入ってきたら、すぐにカメラをまわすようにしてもらい、「えっ、もう撮影していたんですか!?」と言われるくらいにする。怪しいカメラマンみたいだ（笑）。

情報の内容で差別化できないときは、情報の出し方で勝負するのです。

段どりでのせるときは、ちょっと速めのテンポが理想的です。

ただし、勢い余って大失敗することもあるので要注意です。

相手がのってきたらグイグイいきたくなるのですが、そんなときは逆になるべく抑えます。

いろいろ聞きたくなる気持ちをグッと抑えて、あえて相手の言葉が出てくるのを黙って待ちます。

この「黙る」という手法は、最近やっと使えるようになりました。遅い（笑）。それまでは自分がたくさん話したほうが、相手もたくさん話してくれると信じていましたが、実際には違うと気づいたのです。

タモリさんを見ていると、自分からはあまり言葉を発しないままＭＣの仕事をこなしています。沈黙にも重要な意味があるのです。

相手をのせるときに重要なのは「話のテンポ」です。**テンポよく話を展開していくと、「段どりがいい」という印象につながります。**

話す内容が多少浅くても、安住君が言っているように相手の気持ちがのってくるのです。

私は、日本テレビ系列の『キユーピー3分クッキング』を小学生の子どもたちに見せて、すべての料理の段どりを紙にメモしてもらったあとで、記憶した通りに再現してもらうトレーニングをしたことがあります。

短時間の料理番組は、段どりが命です。当然ながら、調理する人はテンポよく段どりを解説します。

テンポのいい解説を再現することで、確実に頭がよくなる効果があるのです。

その中で1人の女子児童が、料理の段どりの解説を完璧に再現してビックリさせられました。

メモも何も見ずに、そのまま番組に出演できるくらいのレベルで、テンポよく再現してみせたのです。

彼女のように段どりをテンポよく話せるようになると、いかにも話し上手という印象になります。

実は、世の中の知識のほとんどは段どりでできています。

たとえば、歴史的な事象は「○○があって、××が起きることによって、第二次世界大戦へとつながった」というように段どりで説明できます。つまり、**段どりを説明する能力があれば、ものごとを理解できるようになるのです。**

もちろん社会科だけでなく、国語も数学も理科も、基本はすべて同じで、求められている能力は一緒です。

数学ができない人は、計算ができないというより、数学を解いていく段どりを説明できないということが大きな原因です。

数学力は、最終的には国語力に行き着くのです。

段どりを手際よく説明する練習をするときは、「自分が得意な領域」について説明するのが基本です。

料理が得意な人は料理の段どり、ガーデニングが得意な人はガーデニングの段どりなら、最初からでも上手に説明しやすいはずです。

TBS系列『マツコの知らない世界』では、特定のテーマに精通した一般人がマツコ・デラックスさんにプレゼンする形式で進行します。

この番組を見ていると、誰もがとても上手に話をしています。

やはり自分の得意分野となると、話の段どりが組みやすいのです。

私は、「1」から「20」の番号を振った紙を使って、15秒のCMができるまでの段どりを書き込むトレーニングをしてもらうこともあります。

1つの完成品を段どりに分解するトレーニングをしておくことで、段どりよく話す力が伸びてきます。

まとめ

1 「内容」か「段どり」で
話を引き出す

2 「段どり」でのせるには
ちょっと速めのテンポがいい

3 ときにはテンポを抑えて相手の
言葉を黙って待つことも有効

4 自分の得意な領域で
段どりよく話す練習をしよう

Saito Takashi

勇気を出して
「笑い」を
とりにいこう

Azumi Shinichiro

安住アナ

Azumi Shinichiro

トランプには「ジョーカー」というカードがあります。ゲームの種類によっては、キングやクイーンよりもジョーカーのほうが力を持ちます。

これは、「ジョークを言う人は、ときによっては権力者よりも優位な地位に立つことがある」という事実を暗示しています。

実際、昔の貴族社会ではパーティーをする際、王様が威張り散らして場をシラけさせるのを見越して、「道化師」を招いて余興をさせていたそうです。

現代でも、権力者や権威をコケにするブラックユーモアは、上質な笑いとして評価されています。

コミュニケーションをとるとき、笑いやユーモアはとても大切な要素です。

もっとも、笑いをとるのは決して簡単なことではありません。

ユーモアのセンスには、価値観や情報の新しさなど、人間性が表れます。

政治家などを見ていても、ジョークのつもりで発した言葉が失言として非難されるケースがあとを絶ちません。

私自身、笑いをとろうとして、見事にはずしてしまうことが多々あります。こんなに恥ずかしいことはありません。そのときは海よりも深く落ち込みます。それでも、笑いにチャレンジする価値はあります。ウケたときは、天にも昇る気持ちです。


人がつくり出す笑いやユーモアには、いくつかのパターンがあります。

まず、世界共通で笑いが起きるのは、転んだり、痛がったり、激辛料理を食べて身もだえたりするのを見たときです。

ビートたけしさんも番組に登場するとき、よく出鼻で転ぶ〝コケ芸〟を披露して笑いをとることがあります。

冷静に考えると人間は結構残酷なものだと思いますが、わざと痛がっている人を見ると、人は本能的に笑ってしまうのです。

ほかにも、自分の失敗や欠陥、汚さ、不釣り合い、老けている、といったことからも笑いは生まれます。

ただ、つまずいたり転んだりするのは、芸人さんなら初歩的なテクニックかもしれませんが、私たちのような一般の社会人にはなかなか真似できない種類の笑いです。

これは本当に困ったときの手段としてとっておくことにしましょう。

では、もう少しとりやすい笑いとは、どんな笑いか？

モノマネは、素人でもかなりの確率で笑いになります。そこそこ上手なニワトリやゴリラのモノマネを見ると、どうしたって人は笑顔になるものです。世界中の人が笑います。

学校で先生の真似をする生徒が人気者になるのも、モノマネという手法の優位性を証明しています。

もう少し別の方向性を目指すなら、「共感で笑わせる」という方法があります。みんなが漠然と感じていることを、ズバッと言葉にすると共感が笑いに変わります。

芸人さんが時事ネタでつかみをとるのは、共感で笑わせる好例です。

お笑い芸人さんによる闇営業問題が連日報道されていたときに、「今日は闇営業でお邪魔しております」みたいな発言で笑いをとっていた芸人さんがいました。

さらに高度なやり方として、説明の小気味よさで笑わせるというものがあります。短い時間で理路整然と過不足なく説明をされると、心地よい笑いが起きます。有吉弘行さんやバカリズムさんなどの話し方が珠玉の例です。

注意したいのは、「自慢」と「卑下」を上手に使い分けることです。

人は他人の不幸が圧倒的に好きです。「モテない」「お金がない」「人望がない」などの自虐話は、ウケやすい〝鉄板ネタ〟です。逆に自慢話をするときは、ヘンに謙遜しないで、思い切って高慢なキャラを演じたほうがいいです。

学生でも「オレは投資の天才で、1日で2億円儲けているからアルバイトはしない」などと振り切った自慢話をすると、バカバカしさが生まれます。

明大生は、これくらいのサービス精神を持ちましょう(笑)。

齋藤先生

Saito Takashi

古谷三敏さんの漫画『寄席芸人伝』に、こんなエピソードがあります。

ある落語家のところに、弟子志願の若者が2人やってきました。

1人は落語が好きで、話が上手なタイプ。もう1人は、ちょっとボーッとしていて、話はあまりうまくないタイプ。

師匠が弟子入りを許可したのは、後者のボーッとした若者でした。なぜかというと、後者の若者には〝フラがある〟というのです。

「フラ」というのは落語用語で、その人が持って生まれた不思議な魅力や雰囲気を表すのだそうです。

落語のスキルはあとから身につけられても、フラを後天的に身につけるのは不可能なのです。

話の中で笑いをとることができるかどうかは、「笑いの神に愛されているかどうか」にも関わっています。

笑いの神に愛されている人は、なぜか言動に可笑しみがあって、何気ない一言が笑いに変わります。

一方、残念ながら笑いの神に愛されていない人は、スベって〝イタい〟状況に陥ります。

私が教えている大学生の中にも、まじめな話をしているだけで、なぜか笑いが起こってしまう人がいます。お笑い芸人でいうと、アンガールズの田中卓志さんのような雰囲気の人ですね。

逆に、狙って笑いをとろうとして、まさに〝イタい〟状況になる人がいます。笑いの神に愛されていないこんな人の場合、とるべき選択肢は2つあります。

1つは、あえて生傷を負いながらも、勇猛果敢に笑いをとろうとする選択肢。これはハート（メンタル）が強い人向きです。

もう1つは、笑いから撤退して、誠実に話をすることに徹するという選択肢です。

私は、この2つの選択肢で、自分がウケる方向を探っていく試行錯誤が重要だと考えています。

笑いをとろうとしてスベったら、やり方を変えて誠実に話をする方向か

ら笑いにチャレンジしてみます。

そうこうしているうちに、自分なりの笑いの方向性が見つかる可能性もあります。

笑いにチャレンジする人は、勇者です。

私自身、全国各地で講演するときには、第一声で勇気を振り絞って笑いをとろうとチャレンジしています。

たとえば、北九州市に行ったら、「こんにちは、齋藤孝です」ではなく、「こんにちは、リリー・フランキーです」と言ってみる。地元出身の有名人の中から、一番ウケそうな人選をして自己紹介してみるのです。

学生たちには半期に一度、「芸人になる」という課題にとり組んでもらっています。みんなが必ず笑ってくれるという条件下で、全員がショートコントにチャレンジするというものです。

たとえば、社会科の「三権分立」や英語の「三人称単数現在（三単現）のs」やアインシュタインの「重力波」などの項目を、芸人として解説してもらいます。すると、最初はドキドキしていた学生たちが、終わった瞬間、一様に「最高でした！」といった反応を示します。

「三単現のｓ」を、ｓを届ける宅配便の設定にして、ｇｏさんのお宅で「ｅがないと受けとれない」といわれる展開を考えたグループは絶賛されていました。

勇気を持って笑いにチャレンジして成功すると、大きな快感が得られます。その快感が忘れられずに、また笑いをとりにいこうとする姿勢が身につくようになるのです。

私は「明大生は傷だらけになって笑いをとりにいかないとダメですよ」と伝えています。

面白いことをまったく言おうとしない人は、その場に対する貢献度が低いとさえ私は思います。

安住君も、明大ＯＢらしくテレビの世界で日々笑いにチャレンジしています。

まとめ

1 時事ネタで共感を得る笑いを狙おう

2 淡々と理路整然とした説明で心地よい笑いが生まれる

3 自慢話をするときは思い切った高慢キャラで

4 傷だらけになって笑いをとりにいってみよう

相手に興味を持っていることをアピールしよう

例

「お会いできてうれしいです」

安住アナ

初対面の人と会うときは、何はともあれ相手に対して興味を持っている気持ちをアピールすることです。

「お会いできてうれしいです」と口に出して伝えてみる。あるいは第三者から紹介されるのを待たずに、自分から近づいて声をかけるのも効果的です。

これが意外とできないのです。

初対面の人と会うとき、緊張してしまう人も多いでしょう。目上の人と会うときはなおさらです。

社会的地位が高かったり有名な人だったりすると、相手のほうが「自分と会うのに緊張しているかもな」と織り込み済みの場合も多いです。

そんなときは「今日は少し緊張していますが、1日どうぞよろしくお願いします」と正直に先に言ってしまいます。

エラい人は正直者に優しいので、向こうがフォローしてくれるときもあります。

いずれにしても、初対面では様子見をしてはいけません。会った瞬間から距離を詰めていく、感情を伝えていく。これが緊張を乗り越える最良の方法です。

齋藤先生

初対面で緊張すること自体は悪いことではありません。緊張することもできず、ただボーッとしたままの人もいます。

ただし、緊張にのまれると、うまく自分をアピールできなくなります。

緊張していると感じたら、肩甲骨をまわし、息を大きく吐いてリラックスしてみるといいです。

軽くその場で3〜4回ジャンプすると、声も出やすくなります。

初対面の相手とは、できるだけ早く共通点を見つけ出すことが大切です。趣味や関心事について2つ、3つ簡単な質問を投げかけて、それで共通点が見つかったら、あとはその話題を続けるだけで盛り上がることができます。

私の場合、犬の話題を振ると、3人に1人くらいの確率で愛犬家の人がいるので、犬の話題で場がなごみます。

私の知人は、苦手に感じている人と愛犬の話題で盛り上がり、「あの人はいい人だ」と一瞬で評価を変えていました（笑）。

あるいは相手が明らかに日焼けしているのに気づいたとき「何かスポーツをされているんですか？」と質問すれば、ゴルフやサッカーなどの話題で盛り上がる

こともできます。

SNSなどで相手の趣味を事前に調べる手もあります。「ちょっとインスタを見させてもらったんですけど、映画がお好きなんですね」などと水を向けると話しやすくなるはずです。

ちょっとずつ核心に迫っていこう

例

「私の場合は○○だったんですけど、どうでしょう？」

安住アナ

番組でゲストに質問するときは、**「相手が何を話したがっているか」「視聴者（リスナー）が何を見たがって（聴きたがって）いるか」「私が相手にどんな興味を持っているか」**の3つを意識しながら、話を聞き出すことを意識していま す。ただ、うまく質問したつもりでも、相手がその話に移らない場合もあります。そんなときは、自分の経験談やたとえ話などを持ち出して、「私の場合は○○だったんですけど、どうでしょう？」と水を向けるようにしています。

いずれにしても、質問は一発勝負で決めようとしないほうがいいです。

野球の投球術みたいに、最初はボール球から入る方法も試してみましょう。ド直球の質問だけで押すのではなく、変化球やスローボール的な質問を交えながら、ちょっとずつ核心に迫っていくイメージがいいと思います。

「インタビューの名人」といわれる人で、聞きづらい質問をズバリ投げかけて、評価されるケースもあります。これは球速の速いボールを持っているからできるわけで、私たちには真似できません。

齋藤先生

「トントントン」とテンポよく話しているうちに場が盛り上がって、相手の本音が引き出せたりすることがあります。**会った瞬間に「お洋服、素敵ですね」みたいな一言をかければ、相手は気分をよくして質問しやすくなります。**

社会人の中には、取引先や上司に対して不遠慮な質問をしてしまう人がいます。そんな人は、相手が気分よく話したくなる質問をして「相手をのせる」とか「あえて沈黙してみる」という方法を意識して使ってみてはいかがでしょうか。

プラスα

気分よくインタビューするためには、ある程度相手の立ち上がりのスピードに合わせるのもポイントです。「まだ温まっていないな」と思ったら、ゆったりしたペースで話し始めるとうまくいく場合があります。

気になったことに言及しよう

例

「このコーヒーカップ、凝ったデザインですね。上等なカップですね」

安住アナ

褒められてイヤな顔をする人はいませんから、褒め言葉を口に出すのはいいことだと思います。

ただし、世の中には、私がテレビ番組でお会いするような、すでにたくさんの人から評価されている成功者もいます。そんな簡単に褒め言葉が通用する相手ではありません。

また昨今は、異性を褒めたつもりでも、セクハラにあたるリスクもあります。15年くらい前なら「恋愛をしていると輝くね」「髪切ったの？　いいね〜」みたいな会話が普通に行われていましたが、今では〝グレー〟です。

相手に直接関わることは褒めずに、目に入ったモノ・気になったコトを褒

めるのが最善です。

たとえば、コーヒーを出してもらったときに「素晴らしいカップですね、ありがとうございます」「とってもおいしいです」という。こういうのは、まったくリスクのない褒めです。

コーヒーカップを褒めて響かなかったら、コーヒーの味、お茶菓子……という具合に気になったものに言及していきます。

あきらめたらダメなのは、飛び込み営業と一緒。何がヒットするかわからないので、１つずつ端から順番に褒める、くらいのつもりでいいです。

齋藤先生

以前、ビートたけしさんとお話ししたときに「もっと褒められたい」と話されていたことが、とても印象に残っています。

案外、企業の部長や社長といった上役は、褒められる機会が少なくて、本音では褒められたがっているのではないでしょうか。

安住君は、私の自宅に来たとき、コーヒーの味やじゅうたんをさりげなく褒めていました。私の自宅には、マスコミ関係者など数多くの方々が訪れますが、安住君のように褒める人は、意外にいなかったので新鮮でした。

翼のついたデザインのコーヒーカップを褒められたときには、「これは米米CLUBの石井竜也さんから対談のおみやげにもらったんだよ」と説明して、会話が盛り上がるきっかけになりました。

その場で気づいたことに言及していくというのは、意外にエネルギーがいる作業ですが、それを軽やかにやっている安住君はすごいです。

話すためのインプット

第3章

Saito Takashi

他人の3倍のインプットを心がける

Azumi Shinichiro

Azumi Shinichiro

大学を卒業してＴＢＳに入社した直後、当時住んでいた自室にテレビを8台置いたことがあります。

初めてもらった夏のボーナスで、渋谷の家電量販店に行き、14型のブラウン管テレビを8台買ったのです。

そのときの店員さんが偶然にも私のことを知っていて、「勉強熱心なことですね」と感心してくれ、うれしかったのを覚えています。

買ってきたテレビを部屋に並べ、毎日同時に8つのテレビをつけていました。

ボリュームを上げているのは1台か2台。同じニュースを各局でどう扱っているのか、といったことをチェックしていました。

今にして思うと、自分に酔っている部分が強かったと思います。と同時に、たくさんのテレビを前にしながら「自分はこの世界で頑張るぞ」と言い聞かせていたような気もします。

テレビ業界では当時、「とにかくたくさんテレビを見なさい」と言われていました。だったら、わかりやすく、たくさんのテレビを同時に見たらいいじゃないか、と考えたわけです。

「やるからには、ここまでやらないと道が開けないぞ」という覚悟の表れでした。たとえるなら、鉛筆を同時に2本持って、漢字の書きとりをするくらいの感覚です。

今は、たくさんのチャンネルを同時録画できるようになり、とても便利になりました。もう同時にたくさんのテレビを見ることはなくなりましたが、ああいうやりすぎな感じの20代の一時期があってよかったと思っています。

どんな業界でも、仕事でいいアウトプットをしたかったら、その3倍くらいのインプットをしておく必要があります。

たとえば、旅行に行くのなら、ツアーに申し込んでいたらインプットの量は限られます。ほかの参加者と同じインプットしかできないからです。

旅行先では、個人で動きまわり、他人の3倍のスピードで歩き、気づいたことはどんどんメモをする。そのくらいの意気込みがほしいです。

旅に限らず、人よりたくさん本を読んだほうがいいですし、映画にも、アーティストのライブにも行ったほうがいいです。

お金もかかるし、ずっとはできませんが、だからこそ気分がのっているときには、そのくらいの意気込みであるほうがいいと思います。

結局、自分も言うだけになっていますが、そういう気持ちで臨みましょう。

あくまで、インプットはアウトプットをするための手段です。インプットが目的になってはいけません。

情報を求めてあちこちをさまよう〝情報難民〟になっては本末転倒です。

インプットは、人に気づかれないくらいの静けさで、スマートに効率よくするのが理想です。

Saito Takashi

私は大学1年生のときに、「本棚を1年に1本ずつ増やす」という目標を立てました。大学生になって、本と本棚に投資をすると決めたわけです。

1本の本棚に300冊くらいは入りますが、1年に読む冊数はそれを超えるので、かなりのハイペースで本棚が増えていきました。

テレビがたくさんあるのと一緒で、本棚もたくさんあるとテンションが上がります。

「自分はこれだけたくさん読んできた」という自信にもつながります。今でも新しい本棚が入ると、気合いが入ります。

アウトプットが面白い人は、意識的にたくさんインプットをしています。

いいアウトプットをしたいなら、できるだけ複合的に大量のインプットを心がけましょう。

私の場合、まずはテレビを〝ながら見〟しながら、インターネットで情報を調べるようなことがよくあります。あるいは、スポーツジムでエアロバイクをこぎながら読書をしつつ、イヤホンで音楽を聴き、しかもテレビまでチラ見するケースも珍しくありません。

最近のテレビは、テロップが出る頻度が高いので、いちいち音を聞かなくても、なんとなく情報がつかめるようになっています。

そうやって複合的にさまざまな情報をインプットしていると、最近起きている出来事に関して、知らないことが少なくなります。

時事ニュースは、一度見たくらいではすぐに忘れてしまいますが、３つくらいの媒体で目にすると完全に頭に定着します。

「あ、このニュースって、テレビとネットでも見たし、新聞にも載っていた」となると、自然と頭に入ってきます。

つまり、複合的な情報に接していると、たいていの雑談に対応できるようになるのです。

逆に言うと、話題になっているニュースについていけない人は、インプットの幅が狭いと自覚したほうがよいでしょう。

普段、ラジオをつけっぱなしにして生活している人もいます。

特に情報量が多いパーソナリティの番組をつけておくと、言葉がシャワーのようにたくさん降ってきて、頭の中に入ってきます。

私が知っているクリーニング店の店主は、ラジオを聴きながら仕事をしているそうですが、やはり話題が豊富な印象があります。

生活の中にラジオを組み込むことは、手軽にインプットを増やす方法として面白いと思います。

インプットした情報は、誰かにしゃべってアウトプットする習慣も身につけましょう。

仕入れたネタを人前でしゃべるのは、ちょっとした快楽です。

「これを誰かにしゃべってやろう」と思いながらインプットした情報は、頭に深く定着します。

学生時代、私は哲学書や古典を読むときも、アウトプットを意識的に活用しました。

友人を相手に毎週、お互いに自分が読んできたところまで話すということを繰り返していたのですが、読書のモチベーションが高められ、ページ数の多い本も読破できました。

そうした話し相手が見つからないときは、ＳＮＳで発信する方法もあります。

閲覧数や評価などは気にせず、とにかくアウトプットを続けていると、「インプット→アウトプット」というサイクルの回転数が上がってきます。

インプットに対する情熱もわいてきて、たくさんアウトプットできるようになるのです。

まとめ

1 いいアウトプットのために
インプットに投資をする

2 インプットを
目的にしてはいけない

3 さまざまなソースから
インプットする

4 インプットした情報は
誰かにアウトプットする

Saito Takashi

「いつもと
違うもの」に
チャレンジ
する

Azumi Shinichiro

安住アナ

Azumi Shinichiro

人間は、年齢とともに変化を恐れる気持ちが強くなり、趣味も固定化していきます。

特に男性はその傾向があります。私自身、気がつくと同じようなスーツを着て、同じクリーニング店を利用して、同じ和菓子屋さんでおやつを買い、同じ喫茶店で同じパスタを食べながら打ち合わせをしていたりします。同じ店どころか、座る席まで決まっていたりします。

決まったものを選ぶことは、「自分を持つ」という意味では大事ではありますが、違うものに目を向けないと、新しいものが受け入れられない体質になってしまいます。

ときには断固たる決意で、習慣をはねのけましょう。

「今日はちょっと冒険してみよう」と心に決め、いつもと違う店で、いつもと違うものを食べてみたりするのです。

新聞などもある特定の1紙に慣れると「もうこれしか読めない」という感じ

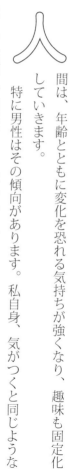

になってきます。でも、コンビニや駅の売店で、あえていつもとは違う新聞を買ってみる姿勢が大切です。

本音を言うと、読み慣れない新聞を読むのはつらいです。ほしいところにほしい情報が載っていなかったりして、イライラすることもあります。

でも、違う紙面を読むと、やっぱり〝気づき〟があります。

読書も同じで、いつも似通ったジャンルの似たような本ばかり読んでいると、知識が偏ってしまいます。

私の場合、定期的に職場の後輩をつかまえて「最近読んで面白かった本を教えて」と声をかけ、紹介された本を読むようにしています。

この手法は、ネットの動画や記事を見るときにも応用できます。

ネットの動画や記事を見続けていると、検索アルゴリズムの仕組みによって、自分の興味のある記事や動画ばかりが選択的に提示されるようになっていきます。自分では気づかないうちに、接する情報が偏っていく恐れがあるわけです。

そんなときは、思い切って友人や同僚のスマホを、ちょっと借りてみるのも一手です。

もしかしたら、それによっていろいろな問題が生じる可能性はあります(笑)。

「こんな趣味の動画を見ていたの?」

「えっ、やたらグラビア系の記事がトップにくるな」

みたいな展開になると話がややこしくなるので、気安くおすすめはできないのですが、いずれにしても思い切ってスマホのSIMカードをとり替えて、リセットするくらいの切り替えが肝心です。

「すべてを変えたい」

それくらい強い気持ちのときにはご一考ください。

齋藤先生

Saito Takashi

安住君が話していたように、人は年齢とともに変化を恐れて、「いつもと同じ」を求めてしまいがちです。

同じものを食べて、同じ番組やネットチャンネルを見たい、という気持ちはよくわかります。でも、それは1つの老化現象でもあります。

同じもので安心したいという気持ちを抑えて、新しいものにチャレンジするということは、感覚の若さを保つことにもつながります。

「今日こそは、違うものを食べようと思ったけど、気づいたらやっぱり同じ店にしてしまう」

そんな人は、「やむを得ない理由」をきっかけにしてみましょう。

「通っている定食屋さんが、たまたま休みだった」

「いつも注文している料理が品切れだった」

こういうタイミングで、いつもと違う店、いつもと違う料理にチャレンジしてみるのです。

やむを得ない理由で新しいものにチャレンジすると、「たまたま入ったけど、なかなかいい店だったな」「今まで注文したことがなかったけど、こっちも意外においしい」といった新鮮な発見があります。

もちろん、「ハズレ」のケースもあるでしょうが、少なくとも話のネタにはなります。**新しい経験をすると、情報が増えるだけでなく、視野が広がります。**

食事に限らず、視野を広げていく姿勢はとても大切です。

たとえば、ＹｏｕＴｕｂｅなどを見ていると、おすすめの動画がレコメンドされます。その動画をクリックし、さらにレコメンドされた動画をクリックし、ということを何度か繰り返すと、自分がまったく関心を持っていなかったような映像や音楽にたどり着くこともあります。

最初はＪポップを聴いていたのに、最終的に演歌に着地したりします。そうやって出会った映像や音楽に、思いがけずハマってしまうところに面白さがあるのです。「新しい情報にチャレンジするぞ」などと肩肘張らなくても、ちょっとスライドしていくだけで「いつもと違うもの」に触れることができます。

各分野でリスペクトする人をガイドにして、「その人からすすめられたら受け入れる」と決めておく方法もあります。

「本」「音楽」「映画」「美術」といった各分野でガイドをつくっておくと、確実に面白く、かつ新しい作品に触れ続けられるメリットがあります。

あえて好みの傾向がまったく違う人のおすすめにしたがって、世界を広げる手もあります。

私が、ある人から熱心に映画をすすめられて見たところ、「ちょっと自分が好きなものとは違うなー」と感じたことがありました。その人からすすめられた映画は、〝イマイチ率〟が高いのです。

何度か繰り返しているうちに、趣味が違いすぎるのだと気づきました。ただ、そのおかげで、自分が絶対に見ようとしなかった映画を見るチャンスが得られました。趣味は人それぞれですから、いろいろな趣味があるのを知るというのも大事です。

まとめ

1 いつもと違う店、
違うものを食べてみる

2 友人や同僚から
おすすめの本を紹介してもらう

3 「やむを得ない理由」を
きっかけに新たなものに
チャレンジする

4 リスペクトする人の
おすすめを受け入れる

Saito Takashi

「流行りもの」と「偏愛するもの」に触れておく

Azumi Shinichiro

繰り返しますが、雑談のネタをつくりたかったら、日ごろから新聞、ネット、雑誌など、なるべくいろんな情報に触れたほうがいいです。

今は新聞を読む人が少なくなりました。「今朝の毎日新聞にこんなこと書いてあったよ」と言っても、その場にいる全員が初耳というケースも珍しくありません。

だからこそネットニュースなど特定の媒体に限らずに、複数の情報源を持つべきです。

地方の新聞やラジオなどは、知らない話ばかりで腰を抜かすほど新鮮ですよ。

流行りものは優先的にチェックして経験することにしています。

おじさんには耳の痛い話ですが、男性は「ミーハーになるのは恥ずかしい」という意識を持つ傾向にあります。でも、流行りものはバカにせず、積極的に触れておくべきです。

流行っているものには、ちゃんと売れている理由があります。また、流行りものをチェックする習慣を持っている人は、近寄ってくる人の数のケタが違います。

私が聞いた話では、人は30歳を超えるともう新しい音楽を受けつけようとしなくなるそうです。10代、20代までに影響を受けた曲だけで、一生楽しめるというのです。

ただし、30代以降でも、６曲くらいは新しい曲を受け入れる余白があるといいます。その余白に新しい曲をねじ込む努力が大切です。

流行っているものに触れておくのと並行して、マニアックに偏愛する対象を持つことも重視しましょう。

偏愛しているものについて語ると、「その人らしさ」が生まれます。

雑談の中で自分を知ってもらいたいときには好都合です。そもそも、好きなモノについて語ることは、単純にとても楽しいことです。

私が偏愛しているものは、「城郭」「お醤油」「ジャイアントパンダ」「合唱」「競艇の阿波勝哉選手」「大井競馬の藤本現暉騎手」「横浜ベイスターズ」などです。

合唱は聴くのが大好きで、２０１９年の7月には、ついに局の垣根をこえてＮＨＫの合唱の番組に呼んでいただきました。

Ｅテレで熱心に合唱の番組をつくっていらっしゃる方が、「いつもと毛色の違う番組をつくりたい」ということで、他局のアナウンサーである私を指名してくれたのです。

偏愛しているものについて語っていると、こんなチャンスも生まれます。

ちなみに、「タピオカミルクティ」のカロリーは高いので、飲みすぎには注意です。

齋藤先生

Saito Takashi

昔は「あのテレビ番組見た？」と、会話が弾むことが当たり前でしたが、今の学生にテレビの話をすると、ほとんど通じないことばかりです。でも、テレビを含めて、あらゆるメディアから情報をインプットしておくと、雑談力は確実にアップします。

流行りものをキャッチアップすることについては、私自身も努力しています。『君の名は。』『シン・ゴジラ』『ボヘミアン・ラプソディ』『キングダム』など、話題となった映画は公開後まもなく、すべて劇場まで足を運んで鑑賞しました。『アナと雪の女王』に至っては、特に興味がなかったのですが、とりあえず流行に乗っかりました。食べものでいうと、「タピオカミルクティ」は流行る直前くらいに飲みました。

流行りものに接しておくと、「その時代を生きた」という実感が得られます。しかも、流行りものだけに、それに触れた人も多いから会話が成立し

やすくなります。

アイドルグループ・嵐のファンクラブの会員数は、約290万人もいるそうです。

それだけファンが多いのですから、嵐についてある程度知っておくだけで、自動的に話が合う人が増えます。

雑談用の知識をインプットするときに、流行りものを選ぶと非常に効率がよいということです。

一方で、流行りものを追うだけではなく、やはり偏愛するものを持っておくことも大切です。

恋心は、自覚した瞬間に燃え上がるといわれています。

同じように、**「私は〇〇を偏愛している」と自覚した瞬間に、偏愛はさらに加速します。ですから、まずは自分が偏愛するものを見つけることが肝心です。「沼にハマる」という感覚が偏愛です。**

私は、A4の紙1枚に自分の偏愛するものをキーワード方式で書く「偏愛マップ」というメソッドを提唱しています。

偏愛マップを書けば書くほど、「やっぱりこれが好きだ」という愛情がわき上がります。

偏愛するものを持つことは、実は心を強くすることにつながります。

好きなものを追求している瞬間、私たちは強いポジティブなエネルギーを発します。「これが好きだ」という気持ちが自分を豊かにして、自己肯定力を上げるのです。

「自分には価値があるか」を問うのは危険です。それより、「この世界は生きる価値があるか」と問う。そして、偏愛するものをマップにしていく。

すると、「この世界は生きる価値がある！」と実感できます。

だから、もっと積極的に偏愛するものをつくってほしいのです。

まとめ

1 流行っているものに触れると雑談上手になれる

2 流行りものをインプットするのは雑談力アップにとても効果的

3 偏愛しているものをつくると「その人らしい」会話ができる

4 特定の媒体に限らずさまざまな情報源に触れておく

Saito Takashi

独自の
情報網を
つくっておく

Azumi Shinichiro

メディアから得られる情報より、人から得られる情報が価値を持つことがあります。むしろ今は、そちらのほうがメインの時代です。

私は友人の少ないほうですが、全国にいる知人とは定期的に連絡をとり合っています。


私が今、メディアで戦えているのは、「いいハナシ」を寄せてくれる人たちとのつながりがあるからです。


そんな情報網の1つに、「安住紳一郎スナックのママ情報網」があります(笑)。

スナックというのは、カウンターつきの飲食店で、「ママ」と呼ばれる女性が接客をするスタイルが一般的です。

お客は男性中心で、お酒を飲んだり軽食を食べたりカラオケを歌ったりして時間を過ごします。

私は出張したときに、各地のスナックに足を運び、ママの身の上話を聞く活動を密かに続けてきました。

その中で、ハナシが面白く信頼し得るママとメール交換して、連絡がとれる状態をつくってきたのです。

　ただのスナックの常連ともいえます（笑）。

　テレビの情報番組に携わっていると、「大雨が降って避難勧告が出されました」といったニュースを報じることがあります。

　ＪＮＮ（ジャパン・ニュース・ネットワーク）というＴＢＳの系列各局や、時事通信社などの通信社からは、「〇万人に避難勧告が出され、△人が避難所に避難した」という情報は伝わってきます。

　けれども、肌感覚で現地がどういう状況になっているのかは、今ひとつわかりません。

　そこで「安住紳一郎スナックのママ情報網」の出番となります。さっそく現地のスナックのママにメールで連絡をとります。

「ご無沙汰してます。雨が大変なことになっているようですが、現状はいかがでしょうか」

すると、ママさんは「今日の営業はやめにしました」という書き出しで、写真とともに現状を丁寧に報告してくれます。

送られてきた写真について再度電話で確認し、使用許可をいただいたうえで、放送することもあります。

こうした生の一次情報をつかめることは、大きなアドバンテージです。

今やメディアは一次情報をどうとりに行くのかが勝負といわれています。情報社会が進みまくった挙げ句、結局は知り合いの情報が一番というのも皮肉なものです。

スナックの領収書は、会社の経費では落ちません。

皮肉なことです。

齋藤先生

Saito Takashi

安住君の、スナックのママさんとの情報網のように、一般論ではないリアルな話を聞き出せる人間関係づくりは非常に大事です。

私の場合は、大学の卒業生たちが重要な情報網となっています。教え子たちが全国各地で教師をしているので、彼らから今の学校の現状を教えてもらう機会を定期的に得ています。まるで全国に隠密を放つ服部半蔵みたいな気分です（笑）。

あるときは、中学校で「きのこ」を栽培しようとして教室に水をまく生徒がいたという話を聞きました。こういう話は、本や雑誌からでは、まず得られません。

卒業生は学校の先生ばかりではないので、ちょっとした飲み会をすると、一度にさまざまな業界の情報が入ってきます。

タクシーに乗ったら、ドライバーさんから最近の景気やお客さんの様子について聞いておいて、一方では証券会社に勤める卒業生からも同じく最近の景気の話を聞く。すると、景気について多面的に考えることができます。

どんなに平凡そうな暮らしをしている人でも、それぞれの人生があり、独自の情報を持っているものです。

同じように「子育て中のママさん」でも、3歳のお子さんを育てている人と、5歳の子を育てている人では、実は子育ての状況がまったく異なります。

細分化された情報を集めていくと、ものごとの理解が深まります。

「一言で『子育て』といっても、小3と小4では意識の持ち方が全然違うんだな」といった発見ができると、実際に子どもとの接し方も変わっていきます。

もちろん現役の学生も、貴重な情報をたくさん持っています。

私は、大学の授業で出席をとるときに、ただ点呼するだけではもったいないので、10秒程度で近況報告をしてもらっています。

「きのう、髪を切りました」「○○という本を読みました」など、何を報告してもかまいません。

特に個人情報を開示しなくてもいいという条件つきにすると、意外なくらい面白い話がたくさん飛び出します。

たとえば、ある女子学生は、病院で医師に脈をとられている最中に「うち、どこ？」と聞かれたそうです。また、別の女子学生は、電車に乗っていたら背後から「今日はいつもより早いね」と言われたそうです。

こんな、ちょっとした恐怖映画に出てきそうなエピソードが、さらりと語られるのです。学生の日常にもいろいろあるというのがよくわかります。

ある男子学生は、ボクシングの新人王決定戦に出場することを報告してくれました。そして、その翌週には準決勝に進出し、さらに次の週は決勝に進出。なんと最終的に優勝したことを報告してくれました。

近況報告をするようになって、学生同士も仲よくなりやすくなりました。

私が近況報告を促さなければ、こうした話は出てきません。やはり、いろんな人に興味を持って話を聞いてみるものです。

まとめ

1 世の中にはネットだけでは得られない情報がある

2 どんな人でも独自の情報を持っている

3 地道な努力で独自の情報網をつくっておくことが大事

4 いろいろな人に興味や関心を持って話を聞いてみる

Saito Takashi

使える
日本語の
フレーズを
ストックする

Azumi Shinichiro

安住アナ

Azumi Shinichiro

カラオケボックスに行くと、「よく歌われている歌ランキング」のようなものを目にします。

2019年現在でいうと、米津玄師、あいみょんといった人気アーティストの曲が1位、2位にランクインし、3位くらいから『残酷な天使のテーゼ』『ハナミズキ』『栄光の架橋』といった長く歌い継がれるヒット曲が並んでいたりします。

これと同じように、**日本語のフレーズにも、「最近よく使われているフレーズ」と「長く使われている定番フレーズ」があります。**

スピーチの言葉でも、「今後ともご指導ご鞭撻のほどよろしくお願いします」「以上をもって私のあいさつと代えさせていただきます」などは、時代を超えて繰り返し使われる不朽の名文でしょう。

今となっては「今後ともご指導ご鞭撻のほどよろしくお願いします」と誰が最初に言ったのかわかりません。ただ間違いなく、これはスピーチに革命を起こしたイノベーティブな定型句だといえます。

放送業界でも、よく使われるフレーズがあります。

最近は「皆さんと過ごした時間は私の宝物です」というフレーズをよく耳にするようになりました。

誰かが言い出したのを、「いいな」と思った人たちが真似するようになったのでしょう。

かくいう私も、フレーズを発明しています。

『ニュースキャスター』で、冒頭のあいさつに使う以下のフレーズです。

「○月○日夜10時になりました。『ニュースキャスター』の時間です。今夜も最後までどうぞおつき合いください」

「今夜も最後までどうぞおつき合いください」というフレーズは、十数年前に私が言い始めました。

ところが、あるテレビ番組で、司会のキャスターがまったく同じフレーズを口にしている姿を目にしました。

私のフレーズと知って使っているとは思えないので、「今夜も最後までどうぞおつき合いください」は、定番フレーズとして認知されたということなのでしょう。

普段から、定番フレーズや使えそうなフレーズをノートなどに書き写しておき、場面に応じて使ってみましょう。

テレビやラジオ、本やインターネットなど、その気になって探せば、流行の日本語の言いまわしの傾向がわかってきます。

齋藤先生

Saito Takashi

私の知り合いのイラン人は、来日してわずか2か月で仕事を始めました。しかも、当たり前のように日本語を使いこなしています。

「どうしてそんなに日本語がうまいの？　イランで勉強していたの？」と聞いたら、次のような答えが返ってきました。

「いや、全然勉強していない。日本に来てからテレビを見て、聞いた言葉をメモして、繰り返し使っていただけです」

まったく驚きの回答です。その人は、職場でも先輩の仕事を見よう見真似でどんどん吸収するので、どんどん給料が上がっているとの話でした。

やはり、何事も「真似る」のが上達への近道です。

表現の引き出しを増やしたいなら、「面白い！」と思ったフレーズをとにかく真似することです。

何か面白いフレーズを覚えたら、とにかくアウトプットしてみましょう。実際に使うことで、初めて頭にインプットされます。

たとえば、会議で発言するとき、「素晴らしいご意見に対して、あえて苦言を呈するわけですが……」などと、覚えたフレーズを使ってみます。

少々固そうな表現は、ギャグっぽく使うのがおすすめです。

何かが台なしになったときには「灰燼に帰しちゃったね」、うれしいときには「冥利に尽きます」といった具合です。

たくさんのフレーズを身につけると、言葉のセレクトが細やかで正確なものになっていきます。

絵を描くときに12色しかなかったクレヨンが24色、48色へとグレードアップするようなイメージでしょうか。

私が学生の頃は、哲学者のフッサールについて勉強しすぎたあまり、フッサールが使う用語で、フッサールの文体のように話す人がいました。

好きな作家が使っている語彙を真似してみるのもよいでしょう。

まとめ

1 「最近よく使われるフレーズ」「定番フレーズ」をチェック

2 覚えたフレーズはとにかく使ってみる

3 好きな作家の文体を真似てみるのもOK

4 何事も「真似る」のが上達への近道

Saito Takashi

ラジオは
1周まわって
新しいメディア

Azumi Shinichiro

安住アナ

Azumi Shinichiro

ラジオをどうやって聴くのかわからないという学生さんもいるでしょう。いったいどんなメディアなのか。

完全に過去のものと思われているメディアですが、ラジオ出身のキャスターは意外に多いです。

私が『安住紳一郎の日曜天国』というラジオ番組を始めたのは2005年、もう15年です。この番組の放送開始は日曜午前10時。私が婚期を逃したのは、この土日のせいです(笑)。

まず、前夜の土曜日に『ニュースキャスター』の生放送を終えるのが午後11時半くらい。そのあと反省会を30分くらいした後、続けて、いろんな番組の打ち合わせを午前1時くらいまで続けます。

午前1時にやっと就寝……というわけにはいかず、そこから朝5時すぎまでラジオの打ち合わせをします。

そう聞くと、打ち合わせがずいぶん長いと思われるかもしれませんが、ラジオ番組のスタッフは5人と少人数なので、私が全体を把握しておく必要があるのです。

毎週ゲストを招いてトークを30分ほどするのですが、どういう話をするかを、一から綿密に決めていきます。

テレビのようにVTRはないですから、すべてをトークで展開しなくてはいけないのです。

ようやく打ち合わせが終わり、朝6時頃から8時頃まで、約2時間の睡眠をとります。準備が間に合わないときは、そのまま寝ずに本番に臨むこともあります。


放送局が同じでも、テレビとラジオはまったく別のメディアです。両方やっている放送局は「ラテ兼営」と呼ばれますが、東京でラテ兼営はNHKとTBSだけです。

視聴率の仕組みは複雑です。40%というと「国民の10人中4人が見た」と思うかもしれませんが、そうではありません。

細かい人数はこれまで出されていませんでしたが、2018年の2日間だけデータをとったようです。16・4％の番組を4時間放送したら4202万人という数字になりました。述べ人数ではありません（ユニーク数といいます）。

　意外に多くて放送局で働く私たちも「そんなにいるの!?」と面食らいました。一方で「日曜天国」をラジオで聴いている人は80万人くらいです。誰も調べてくれないので、私が推測しています。

　ラジオは規模が小さいというだけでなく、興味を持ってもらえる内容も、聴取者の集中度合いも違います。

　一言でいうと、テレビは「映像の補足としての話」で見ている人が多いの

に対して、ラジオは聴いている時間の質が高く、かなり難しい話をしても通じるのです。

それを強く感じるのが、リスナーからメールや手紙をいただくときです。読んでいると、私が話したことを100％理解したうえで、「あの部分では、もう少しこういう話をしたほうがよかったんじゃないですか」といったアドバイスをいただくことがあります。

誤解されることが、あまりないのです。まるで同業者から感想が寄せられているような感すらあります。

今、私のラジオ番組では、1回の放送につき1500通くらいお便りをいただきます。

そのお便りは、ネットでは絶対に得られないコアなものです。

ネットの情報は匿名で書き込まれているので、玉石混交です。その点、ラジオ局に届くものは、「住所」「名前」「年齢」などが書かれていて、信用に足る話ばかりです。

フェイクニュースに惑わされることなく、小学生から90歳台の聴取者と良心的な双方向のやりとりができるメディアは、今の日本ではラジオが最先端なのかもしれません。

ラジオで得られる情報は、私の生命線でもあります。

齋藤先生

Saito Takashi

安住君が2018年5月に放送されたラジオで、後輩アナウンサーのことを話していたことが印象に残っています。

最初は、社内で反目していた田中みな実さんと、おせんべいをきっかけに久々に会話をしたという爆笑エピソードを話していました。

そこから一転して2008年に自ら命を絶った川田亜子さんのエピソードに話が移ると、安住君は嗚咽し、声を震わせながら号泣モードになっていました。

テレビなどでは感動話に涙を流すタレントさんはよく目にします。でも、彼が語っていたのは、亡くなった後輩アナウンサーと交わした会話という、極めてプライベートな記憶です。

「メディアであんなに感情を爆発させながら話す人って、なかなかいないな」と思うと同時に、ラジオというメディアのよさを強く感じるシーンでした。

私は、亡くなった川田さんについて話をするという行為が、一種の供養のように感じられました。

私を含めて、あの放送を聴いた人たちは、川田さんという人が存在したことを思い出しました。だから、安住君の話は、川田さんを追悼する祈りの言葉のようにも聞こえたのです。

自らをさらけ出して、一歩踏み込んで話をする。

これは、何事も自主規制がよしとされている今の時代、ますます難しくなっています。

決して人を傷つけないようにしながら、一歩踏み込んで話す勇気を、若い人には見習ってほしいと思うのです。

まとめ

1 ラジオからはネットで得られない
濃い情報を得られる

2 自分をさらけ出して
一歩踏み込んで話してみる

3 決して人を傷つけない

4 ラジオの投稿から
社会のリアルがわかる

重要な項目だけ紙に書いておこう

例

「新郎の〇〇さん、新婦の△△さん、おめでとうございます」

安住アナ

年齢とともに、固有名詞が出てこない場面は増えてきます。特に、緊張すればするほど、人名などは出てこなくなります。

結婚式の新郎・新婦の名前など、絶対に間違ってはいけないシチュエーションで、なぜか名前を忘れてしまうのです。

これを回避するには、原始的な方法ですが、紙に大きく書いておくのが一番です。

私が結婚式の司会をするときには、新郎の〇〇さん、新婦の△△さんと名前を大きく書いた紙だけは準備します。

もう1つ、アナウンサーとしては下等の下等といわれる最終手段があります。手のひらに人名を書いておくという小学生がやりそうな方法です（笑）。

手のひらに人名を書いておいて、絶対に開かないようにするのですが、実は3年ほど前、この禁じ手で失敗したことがあります。

『輝く！日本レコード大賞』の司会をしていて、あるアーティストの名前をド忘れしてしまったことがありました。

衣装と名前を紐づけて覚えていたのですが、急に衣装が替わってしまい、わからなくなってしまったのです。

どうにかこうにか受賞のコメントを聞き出し、「それでは、よろしくお願いします。歌っていただきます。○○です」と進行し、ステージ中央に「どうぞ」という感じで手を差し出しました。

そのときに、うっかり手を開いたので、手のひらに書かれた人名がテレビに映ってしまったのです。

その映像がＹｏｕＴｕｂｅにあがるたびに削除しています。誰だ!? あげているのは……。二度と経験したくない記憶なのです。

齋藤先生

人と会っていて、その人の名前が出てこないときは、「当然わかっているから、あえて名前を言わない」という風情で、その人にまつわる情報を話していきます。話しているうちに、急に名前を思い出したりします。

誰かが固有名詞が出てこないで困っている様子に気づいたら、さりげなく会話の中で出してあげると親切ですね。

このとき、いかにも「知っているから教えてやる」という恩着せがましさが出ないように注意しましょう。

プラスα

結婚式場のできるスタッフは「司会者が新郎・新婦の名前をド忘れしているな」と気づいたら、さりげなく司会のところに水を運びます。コースターに新郎・新婦の名前を書いて教えます。プロの仕事って、すごいですね。

準備しすぎるくらいしておこう

例

「今日7月5日は「アナゴの日」、7（なな）5（ご）」とアナゴの語呂合わせが由来だそうです」

安住アナ

優れたマジシャンのマジックを見ると、鮮やかな手際に驚き「すごいな」と唸ります。

実はマジシャンのテクニックに驚くのは、彼らがどんな準備をしているのかを知らないから。マジシャンの事前の準備を知ると、その綿密な準備のほうに驚かされます。

私は以前、テレビの収録でマジックの裏側を見る機会がありました。

新聞紙を使ったマジックをするにあたって、マジシャンは撮影の6時間くらい前に、その日の朝刊を全紙購入。それを全部チェックし、どの新聞にどんな記事があるのか、レイアウトを隅々まで確認し、カードを隠しやすい場所などを把握していたのです。

上手なトークも同じ構造です。結婚式のスピーチが上手な人は、羨望の眼差しで見られます。

スピーチが上手な人は、必ず事前に練習しています。それも、たぶんびっくりするくらい入念に準備をしています。

ぶっつけ本番で上手に話せる人は、ほんの一部の天才だけです。

私も必ず練習します。「突然のご指名ですが……」のパターンもあるので、「危ないな」と思ったら必ず準備しておきます。

準備したのに「突然のご指名」がないときは「これでいいんだ」と、出動することなく定年を迎えた消防士の心境でビールを飲みます(笑)。

齋藤先生

知性は、その人が使う語彙に表れます。

賢いと思われるような話し方をするには、なんといっても語彙力を身につける。つまり読書をするのが一番です。

小学生でも、本を読んでいる子は「これって矛盾しているよね」などと、難しい熟語をさらりと口にします。

文学作品は語彙の宝庫です。たとえば三島由紀夫の『金閣寺』などを読むと、そこで使われている言葉づかいの賢さに驚きます。

日本語の話し手として安住君の人気が高いのは、もしかして日本文学専攻だったからかもしれません。

文学的感性は、人と会話をするときにもプラスに働きます。ですから、皆さんも好きな作家を見つけて、その語彙を会話でアウトプットしてみると、知性も磨かれます。

第4章

日本語の面白さにハマる

Saito Takashi

私が「国語科マニア」を自負している理由

Azumi Shinichiro

Azumi Shinichiro

最近よく「本当は学校の先生になるつもりだったんだけど、全然違う仕事をしています」のような発言をする人を見かけます。

本当に先生を目指している人からすると、イラッとする発言ですよね。

「たまたま友達が応募したので、モデルのオーディションに合格したんです」と似た、ちょっとした〝必死感の欠如〟を感じるからでしょうか。

「何なの、そのエピソード」

「じゃあ、あなたも先生になればよかったじゃないの？」

「アナウンサーのほうが、給料がいいからに決まってんだろうが」

私がそう言われるのは百も承知でお話しするのですが、明治大学の教職課程で齋藤先生の授業を受けていたとき、私は本気で中学校か高校の国語科の教員になることを目指していたのです。

ただ、その頃は「就職氷河期」と重なっていました。

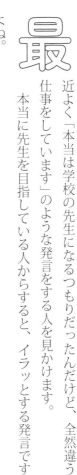

今の子どもの数は1学年120万人くらいですが、私たち団塊ジュニア世代は子どもの数が非常に多く、1学年210万人に達したこともありました。部活をするにも受験をするにも、競争が熾烈だったのです。

人数が多かったのに加えて、元祖団塊の世代と比べて大学進学率が高かったので、大卒で就職を目指す学生があふれていました。

さらに追い打ちをかけるように、世の中は不景気の真っただ中でした。

おまけに私が教員になろうとした頃は、中学生・高校生の数が減り続けていて、教員が余っていました。

というわけで、新任の教員の募集はほとんど皆無だったのです。

私が教職課程で学んでいた頃、東京都の公立中学・高校における国語科教員の募集定員がいったい何人だったと思いますか？

200人、いや100人……少なくとも50人くらいはあったと思うでしょう。でも、実際には2人しかなかったのです。

当時、都立の中学・高校は全900校くらいあったと思いますが、たった2

人分の欠員しかありませんでした。

要するに、その年は「先生は新しく要りません」と言っているのも同然でした。その現状を前に、私は教員になるのをあきらめてしまいました。

今、私がテレビの仕事などで学校の現場に行くと、「安住さんの世代の教員が足りなくて困っているんです」という話を聞きます。

私にしてみれば、あれだけ頑《かたく》なに採用を閉ざしていたのだから、世代に偏りが出てくるのは当然です。当時の為政者を憎んでも詮ないことなので、ベビーブームがいけない、ひいてはベビーブームを生んだ戦争がいけないと憎むようにしています(笑)。

ですから、私と同世代で新卒で教員になった人は、私にとって神のような存在です。

厳しい競争を勝ち抜いて教員になったという事実に、ただただ「素晴らしい！」と感嘆してしまいます。

私の世代で教員をしている人に会ったら「この人は厳しい時代に狭き門をく

ぐり抜けた先生なんだ！」と、あらためてリスペクトし直してほしいと思っています（笑）。

私が「国語科マニア」を自負しているのは、国語教師になりたかったのに、なれなかったからです。

たまたまアナウンサーという職業を選びましたが、国語教師に負けないくらい日本語を究めたいと思っています。

この章では、これから私の日本語研究の成果をお見せしたいと思います。

書店で医学や工学の専門書などを手にとってみると、日本語で高度な知識が説明されていることに気づきます。

自国の言葉で最先端の学問が学べる。これは先進国であるという証しです。世界中には、高等教育が英語で行われている国もあるのです。日本語という言語をそこまで守り育ててきた先人の苦労を思うと、日本語の奥深さを感じ、胸が熱くなります。

私は安住君が「国語科マニア」を自称するのを聞いてうれしくなりました。国語というのは、本当に重要な教科です。数学者である藤原正彦先生は、「一に国語、二に国語、三、四がなくて、五に算数」とおっしゃっていました。国語は情緒と結びついているので、心を養ううえで不可欠な教科なのです。

一方、国語が嫌いになる人も多いです。それは、国語の授業で意味のわからない評論文を読まされるからです。

大学受験に出題されるような評論文には、たしかに気味の悪い難しさを感じます。わざと難しく書いているのではないか、と疑いたくもなります。

一方で、同じ評論文でも、東大入試の国語には、難しくてもいい文章がたくさん出題されています。単に難しいのではなく、レベルの高い主張をしているというのが伝わってくるのです。

ですから、**なんとなく国語を毛嫌いしている人は、本当にいい文章に接していただきたいです。**

たとえば、私は大学1年生にデカルトの『方法序説』、ニーチェの『ツァラトゥストラ』、ドストエフスキーの『罪と罰』といった作品を読んでもらいます。いずれも、きちんと読み込めば「いい文章」であると感じられます。

ハードルが高すぎると感じる人には、福澤諭吉の本がおすすめです。

福澤諭吉の本は、語っている内容が明快なので、読みやすさがあります。『学問のすゝめ』の初編は、わずか20ページ弱の短さです。しかし、主張がすべて詰まっているので、それだけ読んでも感動すること請け合いです。

この種のすぐれた文章を読むと、「国語って意外に面白い」と気づくはずです。

まとめ

1 国語は先人の
苦労の積み重ねでできている

2 一に国語、二に国語、
三、四がなくて五に算数

3 「いい文章」を読むと
国語が好きになる

4 福澤諭吉の『学問のすゝめ』
初編20ページを読んでみよう

Saito Takashi

大和言葉、漢語、カタカナ語をバランスよく使う

Azumi Shinichiro

安住アナ

Azumi Shinichiro

今、

試しに1〜10まで声に出して数えてみてください。

「1、2、3、4、5、6、7、8、9、10」

何か気づくことはありませんか？

「4」の読みには「し」と「よん」、「7」の読みには「しち」に「なな」の選択肢がありますね。

「し」「しち」は音読み、つまり漢語（中国から入ってきた語）であるのに対して、「よん」「なな」は大和言葉です。

日本人が文字を使い始める以前から、話していた言葉が大和言葉。そこに、当時の超先進国だった中国から、漢語が輸入されました。

おそらく、漢語を使う人は、今でいう「英語を使える人」みたいな扱いを受けていたのではないでしょうか。

ここからは、私の想像で、当時のやりとりを再現してみましょう。

「いち、に、さん、よん、ご……」

「え？　今、もしかして『よん』って言った？」

「うん、『よん』だけど、何か？」

「いやいやいや、そこは『し』でしょう。中国語のほうがかっこいいからさ」

「え、でも『死』と同じ音だから、あえて古い言い方の『よん』でいくよ、俺は」


実際にそんなやりとりがあったのかは、もちろんわかりませんが、当時の日本人は漢語の読み方を「かっこいい！　私も真似したい！」と考え、「4」を「し」、「7」を「しち」と読む人が増えていったのではないか……と私は推理しています。

では次に、10から1まで、声に出してカウントダウンしてみてください。

「10、9、8、7、6、5、4、3、2、1」

何か気づいたことはありますか？

そうです。「7」は「なな」、「4」は「よん」としか読まないのです。

これはいったい？

数字を1から順に読み上げるときよりも、カウントダウンするときのほうが脳は慎重になります。

私たちが中学校で習ったアルファベットの「A、B、C、D、E、F……」をスラスラ言えても、「F、E、D、C、B、A」と逆に読むとつっかえやすいのと原理は同じです。

逆に読むときは、身体で覚えていないから、頭の中でいちいち確認することになります。

ここで日本人のDNAが出てしまうので、カウントダウンするときには全部大和言葉になるのではないかと思うのです。

どうです？　この日本語オタクの推理は!?

さて、私たちは「0」という数字を「ゼロ」もしくは「れい」と読みます。「ゼロ」は英語で「れい」は漢語。大和言葉の読みはありません。

日本では当時、ゼロの概念がなかったので、「0」に相当する大和言葉は存在しないとされています。

ちなみに、放送局は言葉に関しては保守的なので、NHKとTBSでは「0」を「ゼロ」と読んではいけないことになっています。


通信販売のお知らせで「0120−○○○−○○○」などと、電話番号を読み上げることがありますが、注意して聴いていると、アナウンサーは「れい、いち、に、れい」と読んでいます。

「ゼロ」と読むと、「どうして日本のアナウンサーが英語を使っているんですか?」とクレームが寄せられます。

だから、新人アナウンサーが研修を受けると、「ゼロ」と読み上げて指導者から叱られるのがお決まりのパターンと化しています。

「〝0〟を〝れい〟と読みなさい」と何度も注意されるので、ほとんどのアナウンサーは「ゼロ恐怖症」になります。

そのせいで『スター・ウォーズ　エピソード0』を「スター・ウォーズ　エピソードれい」と読んでしまったりします（この場合は固有名詞なので「ゼロ」が正解です）。

話を戻します。

日本人は0から10までカウントする間に日本語と漢語、英語まで交ぜている珍しい国民です。

私たちが普段使っている日本語には、漢語、英語、それにフランス語などほかの外国語（カタカナ語）も含まれています。

日本人は、大和言葉に外国語をとり入れながら、心地よい話し方を長年にわたって追求してきました。

話し言葉では、これらの言葉のバランスをある程度意識すべきです。

最近はカタカナ言葉のプライオリティーが高く、次に漢語、訓読みの大和言葉は一番少ないと思います。

なので、使われなくなっている訓読みの形容詞を意識してあえて使ってみると、全体の印象が変わります。

「あえかな」という形容動詞があります。

万葉集の時代に大流行したあと、一時廃れ、歌人の与謝野晶子が好んで使ったことから、明治時代にもう一度日の目を見たものの、絶滅寸前でした。

しかし、２００５年に『あえかなる世界の終わりに』というゲーム作品のタイトルに用いられ、また奇跡の復活を果たしました。

言葉は誰も使わないと滅び、誰かが使うと残るというデリケートなナマモノです。

「あえかな」は「美しくて力弱い」という意味です。使えるかな……。

齋藤先生

Saito Takashi

大和言葉、漢語、カタカナ語の３つをうまく使いこなせるようになると、日本語の表現が豊かになります。

たとえば、「マーケティング」を漢語に直すと「市場活動」「販売戦略」となりますが、今や一般的に「マーケティング」と言ったほうがピンとくると思います。

カタカナ語を一切使わないとすると不便ですから、必要に応じてどんどん使うべきです。

ただ、カタカナ語ばかり連発していると、ちょっと鼻につくこともあります。「タスクのプライオリティについてブレストしよう」のようにカタカナ語が続くと、なんだか詐欺師のトークを聞いているような気がして、胡散臭く感じてしまうのです。

ですから、「タスクの優先順位について話し合ってみよう」などと、適度に言い換えたほうがよいです。

上級編として、書き言葉で大和言葉、漢語、カタカナ語を組み合わせてみるのも面白いです。

たとえば、明治時代に活躍した翻訳家・劇作家である坪内逍遥《しょうよう》が訳したシェイクスピア作品などを読んでいると、「船長」と書いて「キャプテン」とふりがなを振っていたりします。

『猿飛佐助』のような講談の本にも〝佐助は悄然として〟の「悄然」のところに〝しょんぼり〟と、ふりがなが振ってあります。三遊亭圓朝《えんちょう》の『牡丹燈籠《ぼたんどうろう》』には、「装飾《こしらえ》」とあります。

幸田露伴《ろはん》の『五重塔』も自在にふりがなを振っています。たとえば、冒頭の段落だけでも、「好色漢《しれもの》」「外見《みえ》」「選択《えらみ》」「往時《むかし》」と盛りだくさん。

そういったものを見ると、明治時代の日本語は、結構自由だったことがわかります。

歌謡曲の中には、以前から「運命」と書いて「さだめ」と読ませるような歌詞が見受けられますが、これも漢語と大和言葉の組み合わせの例でしょう。

まとめ

1 音読みと訓読みのバランスを意識してみよう

2 カタカナ語の使いすぎに注意する

3 漢語と大和言葉を組み合わせると表現の幅が広がる

Saito Takashi

日本語の
細かな
使い分けを
意識する

Azumi Shinichiro

安住アナ

Azumi Shinichiro

本語には、細かな発音・アクセントの使い分けがあります。

たとえば、新元号である「令和」のアクセント・発音は8種類あるというのをご存じでしょうか。

まず、「令和」は、「平和」のように平板なアクセントで読むか、「冷夏」のように頭高のアクセントで読むかに二分されます。

さらに、〝い〟をきちんと発音する「れいわ」と、〝い〟を伸ばした「れーわ」の2パターンがあります。

これに加えて、〝れ〟の発音は、〝Ｌ〟で口をつくるか〝Ｒ〟で口をつくるかの2種類があります。

ＬとＲの発音は、英語を発音するときだけ意識する人が多いですが、実は日本語にもちゃんとした区別があります。

ら行を発音するときには、舌を上あごにつけます。

このとき、真ん中のほうに舌を丸めてつける〝ら（ＲＡ）〟と、前方の上あごに舌をそのままつける〝ら（ＬＡ）〟に分かれるのです。

「ラーメンを食べる」というとき、舌は「RA」の位置で上あごを叩いています。これが「みそラーメンを食べる」になると、「LA」に変化します。

「ラーメン」を「LA」の舌使いで、あるいは「みそラーメン」を「RA」の舌使いで発音してみると、ちょっとした違和感に気づくはずです。

つまり、2種類のアクセントと、「い」の発音方法、〝L〟と〝R〟の口の使い分けを組み合わせると、「令和」には8種類の発音方法があるというわけです。

わからなくても大丈夫です。「へー」と思えば十分です（笑）。

もう一例を紹介すると、〝ん〟の発音にも微妙な使い分けがあります。

そもそも、〝ん〟の発音は何種類あるかご存じでしょうか。1種類ではありません。驚くことに、なんと「年々増えている」が正解なのです。

数年に一度くらいのペースで、「新たに最大の素数が発見された」というニュースが報じられることがあります。それと同じように、「新しい〝ん〟の発音が発見されました。これで16例目となります」みたいなニュースが、密かに私のところにだけ届きます（笑）。

まず、〝ん〟の発音で有名なのは3種類です。

「街を案内します」と言うときの「案内」の〝ん〟。

「案外あの人は遊び人ですね」と言うときの「案外」の〝ん〟。

「日本橋で買いものをします」と言うときの「日本橋」の〝ん〟。

実際に口に出してみましょう。舌使いの違いがおわかりでしょうか。「日本橋」のときは、唇が完全に閉じています。「案内」のときは舌が上あごにつき、「案外」のときはつかないという違いがあります。

誰もが、無意識のうちに3つの〝ん〟を使い分けているのです。メジャーなところでは、〝ん〟の発音は8つともいわれていますが、次に続く言葉により〝ん〟の発音は変幻自在に変わるので、新しい外来語の登場で、これからも新発見が続くのかもしれません。

多くの人にとって役に立たないとはわかっていますが、こういう日本語のトリビア話は、私の大好物です。

齋藤先生

Saito Takashi

安住君は、大学生の頃から日本語の発音について調べまくっていた記憶があります。当時から、日本語の音にマニアックな関心を向けていたのですね。

フェルディナン・ド・ソシュールという言語学者は、「言語は差異（違い）の体系である」と言いました。

簡単に言うと、単語は1つで成り立っているのではなく、ほかの単語とのバリエーションや区別によって成り立っているということです。

つまり、言葉の違いについて知れば知るほど、言葉に詳しくなり、話のセンスが磨かれてくるのです。

言葉の違いを知るうえで、私は「方言」が大事だと考えています。

全国各地の方言に関心を持つと、同じ内容でも言葉の使い方が全然違うという面白さが味わえます。

私はＮＨＫ Ｅテレの『にほんごであそぼ』という幼児番組で、宮沢賢治の『雨ニモマケズ』を、全国各地の方言で一般の方に語ってもらったことがあります。

賢治の詩は岩手県の言葉で書かれていますが、関西の人は関西弁で、沖縄の人は沖縄の言葉で朗読してもらったのです。すると、自分の言葉で語っているという雰囲気が出て、方言が生命を持った言葉であることを実感できます。

方言には、その土地の風土を伝えてくれる味わいがあります。

たとえば『仁義なき戦い』という任侠映画の主役は広能昌三（菅原文太）ですが、真の主役は広島弁です。あの作品から広島弁を抜いて標準語にしてしまったら、迫力が失われ、残念な映画になったことでしょう。

私は、ソクラテスが大阪弁で対話をしている本や、津軽弁バージョンの『走れメロス』といった本を集めて読むのを楽しんでいます。

『仁義なきキリスト教史』という本は、キリスト教の歴史をヤクザの世界に置き換えて、広島弁で語っていくというユニークな発想の本です。

こういった本を通して方言の魅力に触れてみるのもおすすめです。

まとめ

1 日本語の細かな発音・アクセントを意識してみよう

2 言葉の違いを知れば知るほど話のセンスが磨かれる

3 方言を勉強すると日本語が面白くなる

動きや声で場を制する

例

「私は御社に大変興味があります！」

安住アナ

相手にはっきりと意思を伝えたいとき、どうやって自分の話に耳を傾けてもらうか。そのためには、**「場を制する」ことができるかどうかがカギとなります。**

国会中継では、質問者が発言しているのに周囲がヤジを飛ばしてザワつく光景がおなじみです。質問者が場を制していないと、往々にしてこういう状況になります。

演説が上手な人は話の内容のほかにも、「見た目が華やか」「服がお洒落」「堂々とした振る舞い」「よく通る大きな声」など、場を制するためのポイントを持っていることが多いです。

応援団の団長の場合、素早く中央に歩み寄り、直角に下げた頭を上げた瞬間、場を制します。チアリーダーも、華やかさで場を制しています。

小学校の先生は児童がざわついているとき、あえて話を始めず、静まるまで腕組みをするなどして恐怖で場を制します。

場を自分のものにして、自分の発言を聞き入れられやすくしているのです。

面接などで、相手の印象に残りたいときは、まず動きで場を制するのも一手です。

齋藤先生

相手に話を聞いてもらいたいなら、相手の関心事に触れるのが一番です。

人は誰でも「自分の話がしたい」と思っています。自分に関係がある話題には耳を傾けるのです。

相手の関心事に触れるためには、幅広い話題に精通している必要があります。年齢や性別、職業、これまでの発言などから、相手が食いつきそうな話題を選び出すことが肝心です。

1つの話題がヒットしなかったら、別の話題をどんどん繰り出します。すぐれた芸人さんは、相手の関心度合いを瞬時に見極めて、話題を切り替える能力に長けています。いろいろとトライアル＆エラーを繰り返しながら、この切り替えのセンサーを身につけましょう。

代替案を提示しよう

例

「企画書を読むかぎり、○○と××が適任ではないかと感じました」

安住アナ

「嘘も方便」（ものごとをスムーズに運ぶためには、嘘が必要なこともある）という諺《ことわざ》があるように、何かを断るときには、ある程度もっともな理由づけが必要なものです。

とにかく相手を傷つけないことが第一です。

たとえば、LINEで知人から「飲みに行こう」と誘われたとき。まずは、感謝の気持ちを伝えます。「誘ってくれてありがとう、うれしい」。そのうえで、断るときには納得のいく理由を伝えます。「今日はもう出てしまったので行けないよ」と伝えれば、物理的な理由で行けないと理解してもらえます。

仕事のオファーを断るときは、代替案を提案するとスマートです。

たとえば、私が懇意にしているプロデューサーから「新番組に力を貸してほしい」と誘われたものの、自分としては出るべきではないと判断したとしましょう。

こんなときは「スケジュールが合わないため、申し訳ありませんが今回は見送らせてください。またこのような機会がありましたら、お声がけをよろしくお願いします。企画書を読むかぎり、○○と××が適任ではないかと感じました。○○と××に対する声がけについて、何かお手伝いできることがありましたら、私がやりますので遠慮なく申しつけてください」など誠心誠意、できることを伝えます。

企画書の意図を理解して代替案を提案すれば、カドの立たない断りの言葉となります。

齋藤先生

私は、安住君に先に打診があったらしい情報番組の司会を引き受けたことがあります。まさか教え子が避けた仕事をすることになるとは思いませんでした（笑）。

朝の番組だったので、局に入るのは早朝4時半頃。夜型で毎晩3時に寝る私には、大変な毎日だったのを覚えています。

相手にオファーするときには、相手が受け入れてくれそうな交渉をしていく姿勢が大切です。

たとえば、いきなり異性に「つき合ってくれますか？」と迫っても断られる可能性が大ですが、「おいしいお店があって、ご馳走するから一緒に行かない？」と誘えば、「食事だけなら」となるかもしれません。

そうやってひとつひとつオファーを受けてもらう努力が肝心です。

プラスα

大手の出版社には大先生を口説くための手紙を書く専門の社員がいるという話を聞きました。私（安住）も編集者の方から執筆依頼を受けた経験が何度かあるのですが、とにかく手紙が素晴らしく上手で感動します。読むと気持ちよくなるくらい上手にヨイショされているので、疲れているときに読み直してニヤニヤします。

熱心なオファーを断るには、やはり相応の誠実な回答が求められます。

発言していない人をフォローしよう

例

「○○さん、その靴下、珍しいですね」

安住アナ

飲み会や合コンの席で、参加者5人のうち4人だけ楽しみ、1人が不機嫌にしていると、場の空気がシラけます。

同じように、グループの中で一部の人だけが発言していると、発言の機会を得られない人たちの不満がその場に充満し、全体の空気が悪くなります。

それを防ぐには、やはり責任あるリーダー的存在の人が、バランスよく発言を促すのが一番です。

私が情報番組の司会をするときには、コメンテーターの発言数に偏りが生じないように注意しています。

それでも不均衡が解消しきれないときには、CM中に発言数が少ない人の話を聞いて、そのニュアンスをOA（オンエア）に生かします。

あるいは、ほかのコメンテーターが発言しているときに、目線だけを発言していない人に向けて、フォローするやり方を使ったりもします。

これは、会議やミーティングなどでも使えるテクニックです。ちょっとしたリーダーの心づかいで、場の空気を改善できます。

齋藤先生

私自身、情報番組に出演する機会があるので、コメンテーターの発言のバランスが偏りやすいのは感じます。

1つの場を共有しているときに、発言の量がバラバラだと、たしかに場の空気が乱れます。

番組を見ていると、出演者はそういった場の空気の乱れにいち早く気づき、さりげなくフォローしています。それを見ながら「今、安住君と自分は同じところに気づいたな」と思う瞬間があります。

全体の空気を読んだりコントロールしたりするのは、誰もができることとは限りません。そういうセンスを持っている人は、ぜひ安住君のやり方を真似ていただきたいものです。

第5章

上機嫌で話すマインドセット

Saito Takashi

過去の失敗を乗り越える

Azumi Shinichiro

Azumi Shinichiro

誰でも、生きていればさまざまな困難に直面します。運よく受験に成功し、意中の会社に就職し結婚できたとしても、上司がパワハラをする、お客さんのクレームが酷い、嫁が最悪、子どもがなつかない……などと不愉快な思いを数え切れないくらい経験します。

私自身、自分が引きこもりやセルフネグレクトになっていても、おかしくなかったとよく考えます。

ちょっとしたバランスの崩れで今の生活を一気に失います。私たちは、すごい時代に生きているのです。

1つの挫折をきっかけに心が折れて、社会から引きこもってしまう人の気持ちもわかります。私たちが過ごしているのは、理不尽な世界なのです。

私自身、毎日のようにイヤなことを言われますし、傷つくことも多々あります。私が傷ついたときには、カツカレーを食べて回復を図ります（笑）。

普段は中年ボディを気づかって節制して、炭水化物のとりすぎに注意していますが、本当に理不尽な思いをしたときにはカツカレーを思い切り食べます。

「カツカレーを食べれば大丈夫」「もうカツカレーを食べたから元に戻った」と自己暗示をかけて、なんとか乗り切っています。

ただし、自分のミスで失敗してしまったときは、旅に出ようが、友達に相談しようが、家族と電話をしようが、心の傷を治すのは不可能です。**仕事のミスは仕事でしかとり返せません。同じ状況でもう一度勝負して勝つ。それが唯一の解決策です。**

同じ状況に直面したら、「次は必ず成功する。2連敗は絶対しない」と覚悟を決めてやり抜くだけ。万が一、2回失敗したら、2回続けて成功するしかありません。それをくれぐれも肝に銘じておきましょう。

心の強さを得る1つの方法は、高い目標を持つことです。

私が就職した放送局は、営業収入では業界4位です。かつて1位だった時期もありましたが、私が入社したときには過去の栄光となっていました。

業界4位ということは、そのままの流れで仕事をしていたら、結局は4位の仕事しかできません。

そこで「4位の会社で、1位のアナウンサーになるには？」という課題を自分に課したのです。1位になるためには、上司や先輩のアドバイスを聞きつつ、自分のオリジナリティを出す必要があります。

私だけ目標設定値が高いせいで、社内ではいろいろな軋轢がありました。先輩からは疎まれましたし、後輩からはつき合いづらいと思われているでしょう。

仲のいい同僚も、仕事で知り合った友人も少ないですが、この課題があることが自分の最後の支えになっています。唯一、自分の気持ちを燃やすものです。

ずいぶん格好をつけてしまいましたが、明大の後輩にも、流されずに高い目標を掲げ続けることを忘れないでほしいと思います。

Saito Takashi

スに関しては、福岡ソフトバンクホークス会長の王貞治さんがすごいことを言っています。「人間だからミスをするっていうのであれば、プロは人間であってはならない」。

超一流ともなると、こういう視点でものごとを見ているのでしょう。安住君の場合も、成功の設定基準が高いからこそ、失敗に傷つく機会が多いのではないでしょうか。

何かがうまく行かなかったとき、多くの人は失敗について考えてしまいます。けれども、失敗について考えると気持ちが重くなるので、反省を引き出すのは至難の業です。

ですから、**失敗については考えすぎず、次の機会に向けて気分を上げることを考えましょう。**

カツカレーを食べて自己暗示をかける、と安住君が話しているのを聞いて、共感しました。

チャレンジしたけれど失敗してしまった日、バッドニュースを耳にした日に、私はここぞとばかりにウナギやすき焼き、焼き肉などを投入します。おいしいものを食べて、プラスマイナスゼロで1日を終えるのです。

ほかにも、「サウナに入って、汗と一緒にイヤな記憶を流してしまう」などと自己暗示をかける方法もあります。私は毎日、お風呂のあとにサウナに入っているのですが、サウナで汗を流すと気持ちがリセットされます。

あるいは、立て続けに映画を2本鑑賞すると時がたった感じがします。スポーツの試合は毎日、テレビ観戦します。

男子テニスの試合などは、しばしば3時間にわたって熱戦が繰り広げられますから、見ているだけでも疲れます。ただ、選手は相当疲れているはずなのに、不思議とプレーがよくなっていくのです。

そうやって、**凝縮した数時間を過ごすと、その前の出来事が信じられないくらい昔のように感じられ、どうでもよくなるのです。**

そのほか、沖縄のように都会とは時間の流れ方が違う土地を旅するのもいいです。私はいつもストップウオッチを携帯して時間の使い方を管理しているのですが、沖縄に着いてからとり出してみると、「この道具はどういう使い方をするんだったっけ」と思ってしまうほどです。旅から帰ってくると、それ以前の出来事がすっかり遠く感じられます。

楽しいことをしても気分が上がらないという人は、いっそ悲劇や悲愴な曲を鑑賞する手を試してみましょう。

普通に考えると、悲劇を見たら、ますます気分が落ち込みそうです。では、なぜあえて悲劇が演じられているのか。アリストテレスは『詩学』という本の中で、「カタルシス」という言葉を使って説明しています。

カタルシスとは「浄化」を意味する言葉です。悲劇を見ると、悲しみの感情が演じられている悲劇に同化して浄化されるというのです。

たしかに涙を流すと気分がスッキリすることはあります。

このように、失敗を乗り越える工夫はたくさんあるのです。

まとめ

1 イヤなことがあったら自己暗示で乗り切る

2 仕事の失敗は仕事でとり返す

3 誰よりも高い目標を掲げる

4 悲劇を鑑賞するとスッキリすることもある

Saito Takashi

理不尽に批判されたときのメンタルケア

Azumi Shinichiro

安住アナ

Azumi Shinichiro

「ネットで叩かれたり批判されたりして大変でしょう」と心配する声をいただくことがあります。たしかに、メンタルケアをしっかりしないと、アナウンサーという職業は続けられないと感じることはあります。

俳優さんがお芝居について批判を受けたとしましょう。俳優さんにとっては不愉快な出来事かもしれませんが、「これはあくまで芝居だけを否定されたのだ」と割り切ることができます。

一方で、アナウンサーは本名でやっている仕事ですし、芸事でもありません。話している内容もごく普通のことなので、批判されたときには、自分という人間そのものが否定されたような感覚に陥るのです。

「じゃあ、そういう批判コメントみたいなものは、一切見なければいいじゃないの?」。それも一理あるのですが、現実には自分の評判をシャットアウトし続けるのは至難の業です。

人は褒められたいと思う生きものです。「エゴサーチをしてもいいことなんてない」と頭ではわかっていても、仕事がうまくいったときなどは、誰かに褒めてほしくてついエゴサーチをしたくなります。結果的に、手厳しいコメントを目にして、心がやられてしまうケースがあるのです。

特に若い後輩たちには、そんな傾向が強いように感じます。番組スタッフでさえ、放送中に番組名でエゴサーチしています。

「たくさんの人に嫌われている」という重苦しい倦怠感を抱え、20代の若者が一瞬で心をつぶされたりする。そんな姿を目の当たりにすると、今さらながら因果な職業なんだと感じます。

いったい、私たちはどのようにメンタルケアをしていけばいいのか。

まずは、一部の言説に振りまわされすぎないことです。

いわゆるネットのヘビーユーザーは、独特の感性を持っています。褒めたり叩いたりするときの感覚が、世の中全体とずれている場合があります。

最近は、放送局もネットの声に足下をすくわれ、番組やキャスター、アナウンサーが、好感度を意識しすぎるきらいがあります。この傾向が進むと、本当に言わなければならない一言を言えない状況になる恐れがあります。

テレビのダメなところをネットの声が直してきたのは事実です。ただ、「ネットで気に入られるコメントをすればいい」というスタンスでは本末転倒になります。本当に難しいことなのですが、ネットの言説とは冷静に距離をとる必要があります。

私の場合、自分について否定的なコメントを見かけたときは、投稿主のページをたどって、その人の過去のコメントをチェックすることがあります。投稿主がすべての事象に対して否定的にコメントしている場合は、「そういう人だから仕方がない」と割り切ります。逆に、真っ当なコメントをしている場合は、その人の意見はある程度受け入れなければいけないと判断しています。

これはネット以外の人間関係においても同じです。

何か批判されても、すべてを受け入れるのではなく、冷静に内容を判断すべきです。

もう1つの方法は、**まわりに理解してくれる味方をつくることです。**

業界には、BPO（放送倫理・番組向上機構）という団体があります。これは放送への苦情や放送倫理上の問題について、第三者の立場から対応するためにつくられた組織です。

ときどき「番組中のコメントについて、差別的ではないかとの指摘があった」など、番組がBPOの審議に入ったと報道されるのを耳にしたことがあるでしょう。

私は個人的に「逆BPO」という機関を立ち上げました。これは視聴者の偏執的なクレームによって傷つけられた放送人の、救われない気持ちをケアする機関です（笑）。

視聴者にはなかなか理解されないのですが、実は不可抗力で傷ついている放送人は少なくありません。「言わされたコメントが間違っていた」「時間の都合で言いたいことが言い切れなかった」など、放送人にも言い分があるのです。

通常扱っているのは、ほとんど私の案件です。「逆BPO」にも年間2通くらい、相談のメールが寄せられます(笑)。

相談者の1人は、ヨハネス・フェルメールの展覧会をお知らせすることになり、原稿に書いてあった『真珠の首飾りの少女』という作品名を読み上げました。

そうしたら、多くの視聴者から「このアナウンサーって馬鹿じゃないの？」とさんざん叩かれたというのです。

たしかにフェルメールの最も有名な作品は「耳飾りの少女」です。しかし、「首飾りの少女」という作品も実在するのです。それを知らない視聴者に

「耳と首飾りを間違えた無教養な人」と誤解されてしまったらしいのです。

アナウンサーとしては原稿を正確に読んだだけですから、憤るのも無理のない話です。

読む直前に「誤解を生むので原稿を変えたほうがよい」とアナウンサーは進言しましたが、今回来日する画の中では「首飾り」が一番有名なので……と説得された挙げ句にです。一番憎むべきは「耳飾り」を持ってこないプロモーターです。

もちろん、私がやっている「逆ＢＰＯ」はちょっとしたお遊びとしての活動です。でも、わかってくれる人とグチを共有することで救われるのも事実です。

私自身、テレビ番組に対する批判を見ていて「もうちょっと踏み込んで本質を理解してくれたら、番組として伝えたかったことがわかるはずなのに。ちょっと残念だな」と思うことがあります。

皆さんには、私たちのそんな事情も知っていただけたらと思います。

齋藤先生

Saito Takashi

私はEテレ『にほんごであそぼ』の総合指導を長年担当しています。

番組内では、古文をテロップで表記することがあります。

古文の表記の仕方は1つではなく、専門家の間でも解釈が分かれます。そのことを理解したうえで、総合的に判断して1つの表記を選択しています。

けれども、特定の説を支持する立場の人から「この番組は間違った表記をしている」と一方的に言われてしまうことがあります。

立場上、クレームにはできるだけ丁寧に対応するようにしています。

安住君が語っていたように、テレビの世界では、編集上の都合で重要なコメントがカットされたり、時間が足りなくて言おうと思っていたコメントが言えずじまいになったりするケースがしばしばあります。

そういう背景を知らずに、一方的に出演者が非難されているのを見ると、ちょっと気の毒だな、と思います。

私はSNSなどに自分の考えをアウトプットするのはよいことだと思います。ただし、ネガティブなコメントをすることには反対です。

そもそも私は学生を教えている経験から、人の情報再現能力には疑いを持っています。中高生の期末テストを見ればわかるように、教師が教えたはずの内容が誤解されているケースが多々あります。

つまり、SNS上のネガティブなコメントも、ピントがずれている場合が多いのです。

テレビを見たり本を読んだりして、「ちょっと面白くないな」「自分の考えとは違うな」と思うことはあるでしょう。けれども、わざわざSNSを使ってネガティブな言葉でけなすのは考えものです。

けなすのではなく、自分とは違う意見を受け入れたり、それができなければ黙ってスルーすればいいのです。

ネガティブにけなすと、相手の反感を買うのはもちろん、相手のまわりにいる友人や家族までも不愉快な気分にさせます。

ですから、**コメントをするなら、ポジティブに感動したときのほうがよいでしょう。**

私は自分の情報についてエゴサーチをする習慣はありませんが、安住君のことについてはネットのコメントを目にすることがたまにあります。

幸いなことに、安住君は信じられないくらい好意的に評価されているようです。ビートたけしさんとのやりとりなどに見られる瞬間的な対応が素晴らしいというコメントをたくさん見かけます。

ホッとすると同時に、教え子の活躍を誇らしくも感じます。

まとめ

1 一部の意見に振りまわされない

2 批判されても真に受けすぎない

3 まわりに理解してくれる人をつくっておく

4 自分からはネガティブな批判はしないようにする

Saito Takashi

与えられた「持ち場」でできることを考える

Azumi Shinichiro

安住アナ

Azumi Shinichiro

2019年6月、「安住が異例の大出世」などと報じられ、周囲でもいろいろな反響がありました。

「部次長から2階級特進で局次長に」

この事実を客観的に見聞きした私は、「オレって殉職扱いなんだわ」と不思議な感覚にとらわれました（笑）。

「局次長」といっても「待遇」なので、部下もいなければ、予算もなし。いわば、名誉だけをもらったような位置づけでしょうか。

日本人は87％がサラリーマンなので、こういう話には興味があるみたいです（笑）。サラリーマンは人事の話が一番盛り上がりますね。これは社会に出たらよくわかります。私のサラリーマン人生も、「皆さんに楽しんでいただけているのかな」と喜んでいます……。

「安住はフリーにならないのか」

「フリーになれば収入も上がるのに」

いろいろ言われているのは、もちろん知っています。

たしかにフリーランスになれば、いろいろと自由に仕事を選べるようにはなるでしょう。収入も増えるのかな？　という期待もあります。率直にフリーで活躍している人を見て、うらやましいと思ったりもします。

「ギャランティー」という言葉は「出演料」として使われることが多いですが、日本語に直訳すると「保証」という意味になります。ギャランティーは、〝心の傷〟に対する保証金ともいえます。

たとえ嫌な仕事でも、フリーランスになればギャランティーをいただくので「〇〇万円もらえれば、まあいいや」という心の手当てができます。

一方で、そういう働き方はやろうと思えばいつでもできる、と割り切っている自分もいます。

今はエンプロイーとしてできるだけのことをやってみたいという気持ちを持っています。

今、メディアは曲がり角に差しかかっています。

なんとか変えていかなければ、生き残れないという予感もあります。

私は自分が担当している番組を通じて、どうにかテレビを変えられないかと考えています。テレビを変えることにやりがいを見出しているのです。

テレビを変えるには、外部のフリーランスの立場ではなく、放送局員の立場であったほうが早いという側面が、フリーランスにならない一番の理由かもしれません。

すでにフリーランスで活躍しているアナウンサーはたくさんいます。その人たちと同じ道を目指すのではなく、あえて違う道に走ってもいいのではないか。

今の私はそう考えています。

急に考えが変わることもあります(笑)。後輩たちの前なので、安心してベラベラしゃべっちゃったよ。後悔してる。

齋藤先生

Saito Takashi

あえて会社員の立場からテレビを変える。そんな安住君の志に胸を打たれました。あの孔子も「其《そ》の位に在らざれば、其の政《まつりごと》を謀《はか》らず（その立場にないなら余計な口を出さないものだ）」と言っています。

安住君に限らず、まずは与えられた「役割」「持ち場」の中で全力を尽くすことが大切です。

私がスポーツを見ていて勉強になるのは、ベンチで控えている選手や、ベンチにも入れなかった選手たちの振る舞い方です。

特に高校野球が好きで、全試合をテレビ観戦しているのですが、どうしてもスタンドで応援している野球部員の姿に目が行ってしまいます。

彼らだって本当は試合に出たくて仕方がないのでしょうが、その気持ちを抑えて、必死にベンチやスタンドから仲間に声援を送っています。

彼らは、ベンチやアルプススタンドという持ち場で、精一杯できることにとり組んでいます。その姿を見ているだけで勇気をもらえる気がします。

もし、彼らがふてくされた態度をとっていたら、チーム全体の空気が悪くなります。試合には出場しなくても、彼らの応援には大きな意味があるのです。

与えられた持ち場で全力を出している人の姿は、誰かが必ず見ているものです。常に全力でとり組んでいる人は、やがて評価されて、必ず大きな仕事をもらえるように社会はできています。

私は、安住君が近い将来、アナウンサーとしてもっと飛躍すると確信しています。

20〜30代の頃は、なかなか思うような役割が与えられず悔しい思いをすることもあるでしょう。けれども、どんな職場に異動させられても「ここが持ち場だ」と思って必死にとり組むことが大切です。

私自身、20代には自分の好きなことでは、1円すらお金を稼ぐことができませんでした。ただ、そんなときでも目の前の研究に一生懸命とり組んでいた自負はあります。

努力はいつか報われるのです。ぜひ皆さんにも、目の前の仕事に努力を注いでほしいものです。

まとめ

1 まずは与えられた「役割」「持ち場」で全力を尽くす

2 全力を尽くすと誰かが必ず評価してくれる

3 努力はいつか報われる

日常生活で不測の事態が起きないようにしよう

例

「この先、左です」

安住アナ

そのときどきの機嫌や好不調の波が影響してパフォーマンスを落とす。社会人が失敗するパターンの多くが、これです。

それがわかっているので、私の場合は、なるべく仕事の前は日常生活で機嫌が悪くなることが起きないように注意しています。

たとえば、仕事の前に買いものに出かけて、入荷されていると聞いていたはずの品物が置いてなかったとき。やっぱりガッカリしますし、イラッときます。イラッとした感情のまま現場に戻ると、よくない結果をもたらします。

ですから、そもそも買いものに出かけないようにして、不測の事態を回避するのです。独身だからできる力《ちから》ワザです。

大事な仕事の前には電車やバスを使います。時間通りに行けるからです。どうしてもタクシーを使うときには、道順を自分で説明します。自分で地図を見ながら、「この先、左です」「右にお願いします」といった具合に伝えます。

これは結婚できませんね(笑)。

齋藤先生

好不調の波に左右されないためには、慢性的な絶好調状態を意識して、それが当たり前になるようにしていく必要があります。

「慢性的な絶好調」といっても、実は7~8割方好調であれば十分です。気分だけでも「絶好調」だと自覚しておけばいいのです。

私はそれを予備校生時代に、駿台予備学校の伊藤和夫先生から教わりました。伊藤先生は、毎日同じようなシャツを着て、いつも同じ調子で淡々と授業をこなしていました。

あるとき伊藤先生が「私にだって感情や好不調の波はあるけれども、それを君たちに見せるのはよくないと考えている」と語るのを聞いて、プロ意識の高さに驚いた記憶があるのです。

プラスα

私も、「教壇に立ったら常に明るく振る舞う」と心に決めています。そんなふうに決めていると、調子の悪いときでも、教壇に立つと不思議と治ってしまうことがあります。

自分でつくった〝上機嫌Tシャツ〟を着て、小学生を教えていたこともあります。胸に大きく「上機嫌」とプリントされていれば、不機嫌はおろか普通さえも許されません。

ちなみに背中には「意味もなく」とプリントしました。

こうしたメンタルの安定は、毎日のトレーニングで誰でも身につけられるものなのです。

「肩甲骨をまわすと機嫌がよくなる」と齋藤先生から教えてもらったので、なるべく肩甲骨をまわして上機嫌を保つようにしています。

紙に標語を書いて部屋に貼っておこう

例

「NOと言えない人間はつまらない」

安住アナ

私は横浜ベイスターズのファンです。ファンになったのは、一時期、勤務先が球団の筆頭株主だった関係からですが、当時のベイスターズは低迷続きで最悪のチーム状況でした。まったく勝てないから応援していてもイライラが募りました。

負けてばかりだと見ているファンも精神的にしんどくなってきます。「もう精神衛生上、中継を見ないほうがいい」と判断し、「ベイスターズの試合は、絶対に生中継では見ない」と紙に書き、自室の目立つところに貼ることにしました。

このように「標語を書いて部屋に貼る」というと結構驚かれますが、私は今でもよくやっています。何か強く心に思うことがあったら、和紙でできた便せんの裏などに標語を書き、部屋に貼って目に入るようにしておくのです。

たとえば「NOと言えない人間はつまらない」。こういうのは筆ペンで毛筆タッチにすると雰囲気が出ます。

もっとも、標語が貼ってあるとき、部屋に女性が遊びに来たりすると、確実にドン引きされます。自分では純粋な向上心で行っているつもりなのですが……。向上心でやっているのに「病んでいる」と勘違いされるのが、今という時代なのかもしれません。

最近のベイスターズは強いです。

齋藤先生

紙に標語を書くというのは私もおすすめしている方法ですが、実践している人がいるのを聞いたのは稀《まれ》です。心が弱ったときにポジティブな言葉を書いて、その言葉に助けてもらうという方法は意外に効果的なのです。

「和紙に毛筆」とまではいかなくても、ちょっとした付せんに言葉を書いておくだけでいいと思います。

元気がいい人にエンジンを温めてもらおう

例

「今日もよろしくお願いします！」

安住アナ

勢いがあって元気のよい人の近くにいると、単純に自分も引き上げられて勢いにのっていけることがあります。大相撲の力士は、仕切りのタイミングでお互いの目を見ているうちに、闘争心が高まっていくといいます。

1人でテンションを高めるのは難しくても、相手のやる気を借りることで高めていけるわけです。

テレビやラジオ番組では、司会者やパーソナリティの気分がちょっとのらないとき、直前に収録が終わった番組の司会者やパーソナリティのところに行くことがあります。アイドリング代わりに3分くらい雑談をしてから本番に臨むのです。

ちょっと〝もらい火〟をするようなイメージですね。直接話をしなくても、ちょっと温度の高いラジオを聴いたりテレビを見たりして気分を高めるだけでもいいです。

私の番組でいうと先輩アナウンサーの三雲孝江さんなどは、場をつくる力をお持ちです。本番に入る前の、力まず、おごらず、のテンションのつくり方が抜群に上手です。本番前に三雲さんのような人と話していると、いい感じで仕事のスイッチを入れることができます。

齋藤先生

ラジオを聴いていると、番組が切り替わるタイミングで、よくパーソナリティ同士がリレートークをしているときがあります。あれは、テンションをリレーするという実用的な意味があるのですね。

一般の会社や学校でも、おしゃべりがうまい人、陽気なテンションを維持している人が1人や2人はいるはず。そういう人の力を借りて気分を上げていくのはいい方法です。

プラスα

本当にどうしようもなく疲れているときは、人と接するともっと疲れてしまうこともあるので、休養をとることも大事です。

齋藤 孝
明治大学文学部教授

おわりに

教え子とはいえ、そして普段呼び慣れているとはいえ、40代の日本を代表するアナウンサーを「安住君」と本書で書くのはいかがなものか。そう思い「どう思う？」と彼に相談したところ、「君でいいと思いますよ」との返答だったので、君を使わせてもらうことにしました。

安住さん、安住アナ、安住氏というのも、なんだか他人行儀な気がして違和感があり、ふたりの関係性を優先させていただきました。

学生時代の安住君のことは、今でもよく覚えています。

私の授業はアウトプットを重視しているので、授業中に「何か面白い話をしてくれる人はいるかな？」と呼びかけることがあります。

普通は「シーン」となってしまうところですが、さすが明治大学は違います。自ら手を挙げてチャレンジしてくれる学生が1人くらいはいます。そんなチャレンジャーの中でも、群を抜いて面白い話をしていたのが安住君でした。

いったんスイッチが入ると、滑舌とテンポがとんでもなくよくて、話す内容も意味があることだけ。話し始めると止まらなくなるのです。

これまで、たくさんの学生を見てきましたが、「話す」という能力に関していえば、安住君はトップの位置をキープし続けています。当時の安住君は、のちの才能の片鱗を見せていたというより、すでに話し手として完成されていたように思います。

今、彼の話の面白さを味わえるのは、なんといってもTBSラジオ『安住紳一郎の日曜天国（略称・にち10《てん》）』での語りでしょう。番組を聴いていると、単なる「好感度の高いアナウンサー」であることに飽き足らない、「攻め」の姿勢を感じられるはずです。私自身、気がつけば、もはや「教え子」というより、むしろ1人の「リスナー」として安住君がラジオで何を語るのかを楽しんでいます。

類いまれなる才能を持つ安住君の「話す技術」を、ぜひ読者の皆さんと分かち合いたい。そんな思いから、本書の企画はスタートしました。

話し手としての高い能力は、すでに万人が知るところですが、その工夫や意識の持ち方をあらためて文字に残すことに大きな意義があると考えました。

安住君がMCを担当している『ニュースキャスター』で、私は長年にわたってコメンテーターをしています。せっかくの縁を活かして、今回は書籍という舞台に場所を移し、2人でコラボレーションをすることになったわけです。

本書は、当初、私と安住君の対談形式で進める予定だったのですが、安住君のほうから「明治大学で学生たちに直接話してみたい」との提案をもらい、講義形式での収録にチャレンジしました。明治大学で当意即妙に熱く話す安住君の姿を見て、教室の中で1人で話し続けていた当時の姿を思い出しました。

当日、授業を受けた学生たちも「こんな贅沢な機会はない」と大変感激していました。

本の中で、安住君は超一流のアナウンサーならではの話術の裏側を披露しています。それ以外にも、会社員として仕事をするという選択への思いや、ストレスのケアなど、志や人間味を感じさせる話もたくさんしてくれました。

本書が形になるにあたり、ダイヤモンド社の斎藤順さんとライターの渡辺稔大さんのご助力をいただきました。おふたりとも安住君のファンであり「にち10《てん》」のリスナーということもあってよい本になりました。ありがとうございます。